十六國
北朝
高昌地區磚銘
隋·唐·五代十國
兩宋
遼·金·元

磚銘書法大系

兩晉至宋元磚銘書法

四

上海書畫出版社 編
黎旭 王立翔 主編

上海書畫出版社

前言

磚的古字爲『甓』『壁』『甎』『塼』，城磚可稱『墼』，井磚可稱『甃』等。古磚作爲古代文字的載體，其學術功能不遜於甲骨、青銅器、石刻、簡牘、法帖、書迹等傳統主流器物。由於銘文磚存世量大、覆蓋面廣、歷史跨度長，東漢以降幾乎每個歷史年代的銘文磚都有實物存世，而且磚銘内容資料豐富，書法風格面貌齊全，因此，古磚具有天然不可替代的學術特點。

清代中後期金石學振興之後，學者逐漸發現古磚銘對金石學研究具有重大價值，於是開展對古代磚銘的專門研究和著録。嚴福基《嚴氏古磚存》、吴廷康《慕陶軒古磚圖録》、陳璜《百甓齋古磚録》、陸心源《千甓亭古磚圖釋》、吕佺孫《百磚考》、吴隱《遯庵古磚存》、馮登府《浙江磚録》、宋經畬《磚文考略》等著作中收録的古磚銘，有着明顯的地域特色，多爲浙江地區出土的古代銘文磚銘。詳細記録古磚的出土資訊，對文字進行辨識，考證相關内容等，是這個時期著作的共同特點。但囿於當時印刷條件，對磚銘的形態，僅能依賴文字的描述，或雕鏤木版，縮摹仿真，難免與原貌有着相當大的差别。值得關注的是光緒十七年（一八九一）陸心源的《千甓亭古磚圖釋》，這是一部古磚銘著録中里程碑式的著作。從數量上來看，共輯録了一千三百二十餘種兩漢至元代不同的古磚銘拓本，遠超前人著作；從質量上來説，采用了當時較爲先進的石印印刷技術，比較真實地呈現了古磚銘的文字和圖案。此外，陸氏對每一種古磚拓本均標注尺寸、内容、出土地等資訊，并對其中相當一部分文字加以考釋。這一著録方式能直觀準確地反映磚銘的内容，逐漸爲此後古磚銘研究者所采用，影響深遠。民國時期古磚銘研究著作的主要特點是不再局限於一時一地，而是匯集不同時期、不同地域、不同種類的磚銘合集。如高翰生《上陶室磚瓦文攈》、鄒安《廣倉磚録》、王樹枏《漢魏六朝磚文》等。

書法研究是金石學者著録古磚銘的一個重要意圖。中國古代磚銘書法的姿態具有獨特的藝術韵味，從字體上來看，涵蓋了篆書、隸書、草書、行書、楷書等多種字體。時代的變遷與地區文化的差异，在古磚銘中同樣有着相當明顯的痕迹，古磚銘書法對於研究古代書體書風的嬗變有着重要作用。

兩晋南北朝磚銘書法，篆書、隸書、楷書、草書等書體都處在演變和發展階段，反映了彼時民間書寫群體作品的真實面貌，其『變』與『不穩定性』的特點，與成熟經典的書體相比，雖稍顯粗糙，但是所呈現出來的自然形態以及强烈的生命力和可塑性，正是定型後的書體所不能具備的，這些因素對科學地研究中國兩晋南朝書法史意義非凡。

隋唐時期的磚銘書法，基本圍繞着楷書而展開。隋代砖銘書法在點畫特徵的刻畫方面較爲草率，不衫不履，間架結構方面，則取當時流行的平正寬博之勢。唐代磚銘楷書書體的風格化更加豐富，且明顯存在對於當時名家書法的模仿。五代十國時期在磚銘書法方面，無復隋唐時期的規模與高度，多以隸書或者受到隸書影響的楷書爲主，在整體的製作水平、藝術高度方面，已然呈現頹勢，再難以與前代相頡頏。遼、金磚銘書法均为楷書，書法風格具有明顯的歐體、顔體的特徵。元代磚銘，整體仍以楷書爲主，但也有一定數量的隸書磚銘，而且書法水準比兩宋的隸書磚銘的水準更高、更純粹。兩宋時期磚銘書法與時代主流書風嚴重脱節，一方面源於隋唐以後書體演變的最終完成，由重書體而轉變爲重風格的表現；另一方面，宋代民間書法的進一步行業化，更多關注書法的實用功能，故而處於民間階層的兩宋磚銘，在接續隋唐五代以後逐漸走向凋敝。

『磚銘書法大系』計兩輯八册，此輯爲兩晋至宋元卷，共計四册，集中體現了這一時期磚銘書法的時代、地域風格特征，是我們研究書法史、進行書法創作不可或缺的珍貴資料。

目録

十六國

太始八年磚……一
元璽元年太歲甲寅造磚……一
嘉平四年磚……二
元璽元年太歲甲寅造磚……二
大夏二年田煚墓銘磚……三
建元二年磚……四
白雀二年記功莂磚……五

北朝

神麢四年舍利塔磚……六
皇興元年李禄造像記磚……七
正始元年許和世墓銘磚……八
正始四年元達豆官妻楊貴姜墓銘磚……九
正始四年張神洛買地券磚……一〇
永平三年李道□墓銘磚……一一
熙平元年王文愛及妻劉江女墓銘磚……一二
熙平元年王遵敬及妻薛氏墓銘磚……一三
熙平元年元延生墓銘磚……一四
神龜二年劉榮先妻馬羅英墓記磚……一五
正光四年姬伯慶墓銘磚……一六
孝昌二年造萬佛塔磚……一七
建義元年李興造像磚……一八
永安四年沈起墓銘磚……一九
天平四年趙夫人墓銘磚……二〇
興和二年大將軍等字磚……二一
興和三年范思彥墓記磚……二二
興和三年趙九弼墓記磚……二三
武定二年羅家娣訾要墓記磚……二四
武定六年王顯明墓銘磚……二五
天保元年魏黄三墓記磚……二六
天保元年孟蕭姜墓記磚……二七
天保二年李坦造像磚……二八
天保四年張□和息妻阿趙墓銘磚……二九
天保七年若干子雄妻張比婁墓銘磚……三〇
乾明元年董顯□墓銘磚……三一
太寧二年封胤墓記磚……三二
河清四年宋迎男墓記磚……三三
天統三年胡伏山婦墓記磚……三四
天統四年郭□□小伯妻徐氏墓記磚……三五
武平三年張佃保墓記磚……三六
建德六年陳鄭君墓記磚……三七
大象元年張君夫人馬氏墓銘磚 三八

高昌地區磚銘

高昌永平二年張武忠妻高氏墓表磚……三九
高昌建昌四年麴那妻阿度墓表磚……四〇
高昌建昌五年田紹賢墓表磚……四一
高昌延昌十一年令狐天恩墓表磚……四二
高昌延昌十五年張買得墓表磚 四三
高昌延昌十七年麴謙友墓表磚 四四
高昌延昌十八年辛苟子墓表磚 四五
高昌延昌二十一年王理和妻董氏墓表磚……四六
高昌延昌二十八年張買得妻王氏墓表磚……四七
高昌延昌三十七年曹智茂墓表磚……四八
高昌延和七年張叔慶妻麴太明墓表磚……四九
高昌延和八年孟子今墓表磚…五〇
高昌延壽五年王伯瑜墓表磚…五一

唐貞觀十五年任阿悅妻
劉氏墓表磚……五二
唐龍朔二年麴善岳墓表磚……五三
唐咸亨五年張君行母墓誌磚……五四
唐咸亨五年張歡□妻
唐氏墓表磚……五五
唐永淳二年張歡夫人
麴連墓誌銘磚……五六
唐汜大師墓誌磚……五七

隋·唐·五代十國

開皇二年楊元伯妻
邸胋胋墓記磚……五八
開皇七年李氏婦馬希孃墓銘磚……五九
開皇十二年僧璨墓記磚……六〇
開皇十八年張延敬磚……六一
仁壽二年興福寺磚……六二
仁壽二年蔣□與妻袁四娘
捐造佛塔磚……六三
大業元年張伏奴墓銘磚……六四

兩宋

漏澤園侯進墓記磚……六五
漏澤園薛簡墓記磚……六六
漏澤園張聰墓記磚……六七
漏澤園董成墓記磚……六八
誰能立志磚……六九
廣州修城牆磚……七〇
護國禪師月江磚……七一
座主大師題名磚……七二
飛英塔磚……七三
曹洞派磚……七四
盧克等字磚……七五
閔子騫磚……七六
武將墓誌磚……七七
大齊古域磚……七七
古伏寶塔磚……七八
西北隅施令妻孟氏墓磚……七八

遼·金·元

天顯十三年墓記磚……七九
天德十年申通妻李氏墓記磚……八〇
諸法因緣生佛偈磚……八一
法舍利塔磚……八二
大德二年張輔臣壙記磚……八三
至正十一年蘇漢用等爲母
舒氏小娘買地券磚……八四
方德冲同妻吳惠真捨造佛塔磚……八五
譚洵捨造佛塔磚……八六
過應兆等人捨造佛塔磚……八七
吳家等人捨造佛塔磚……八八
重臣磚……八九

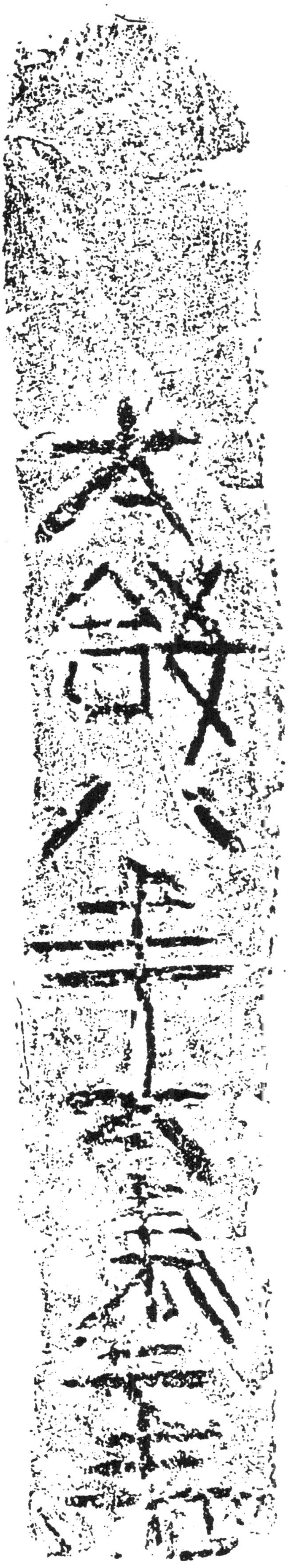

太始八年磚

釋文：太始八年太歲壬戌

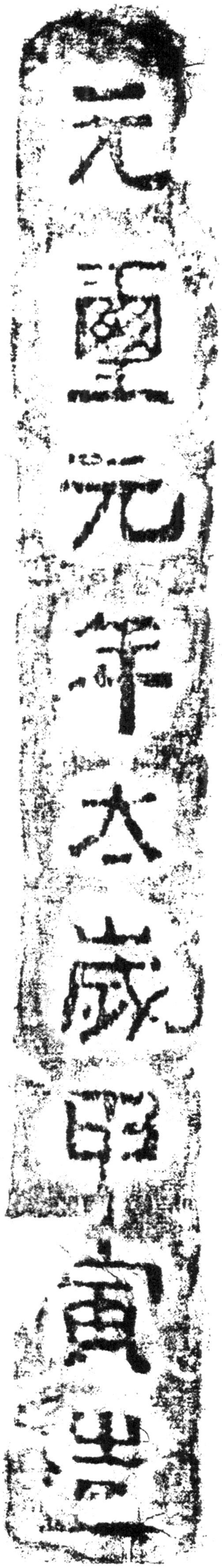

元璽元年太歲甲寅造磚

釋文：元璽元年太歲甲寅造

嘉平四年磚

釋文：嘉平四年

元璽元年太歲甲寅造磚

釋文：元璽元年太歲甲寅造

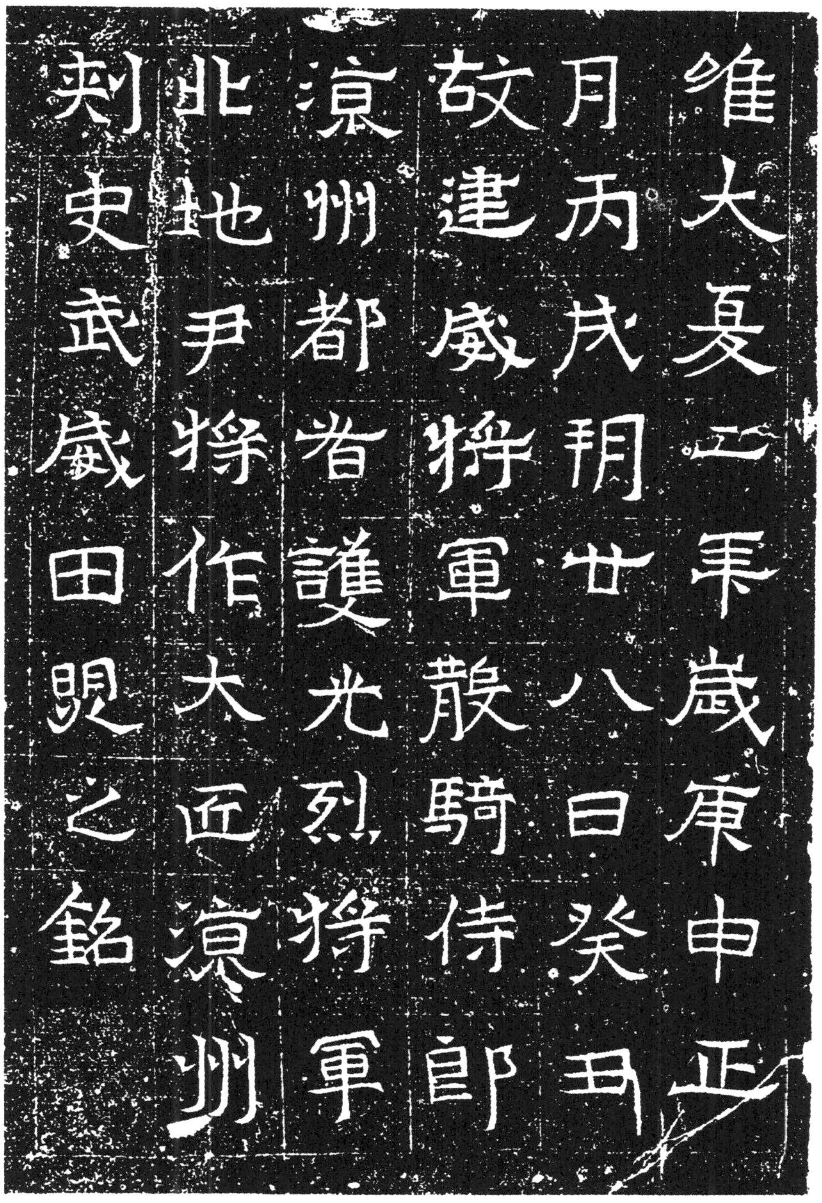

大夏二年田煛墓銘磚

釋文：唯大夏二年歲庚申正/月丙戌朔廿八日癸丑/故建威將軍散騎侍郎/涼州都督護光烈將軍/北地尹將作大匠涼州/刺史武威田煛之銘

建元二年磚

釋文：建元二年七月八日故民／王有□申明仲□馬

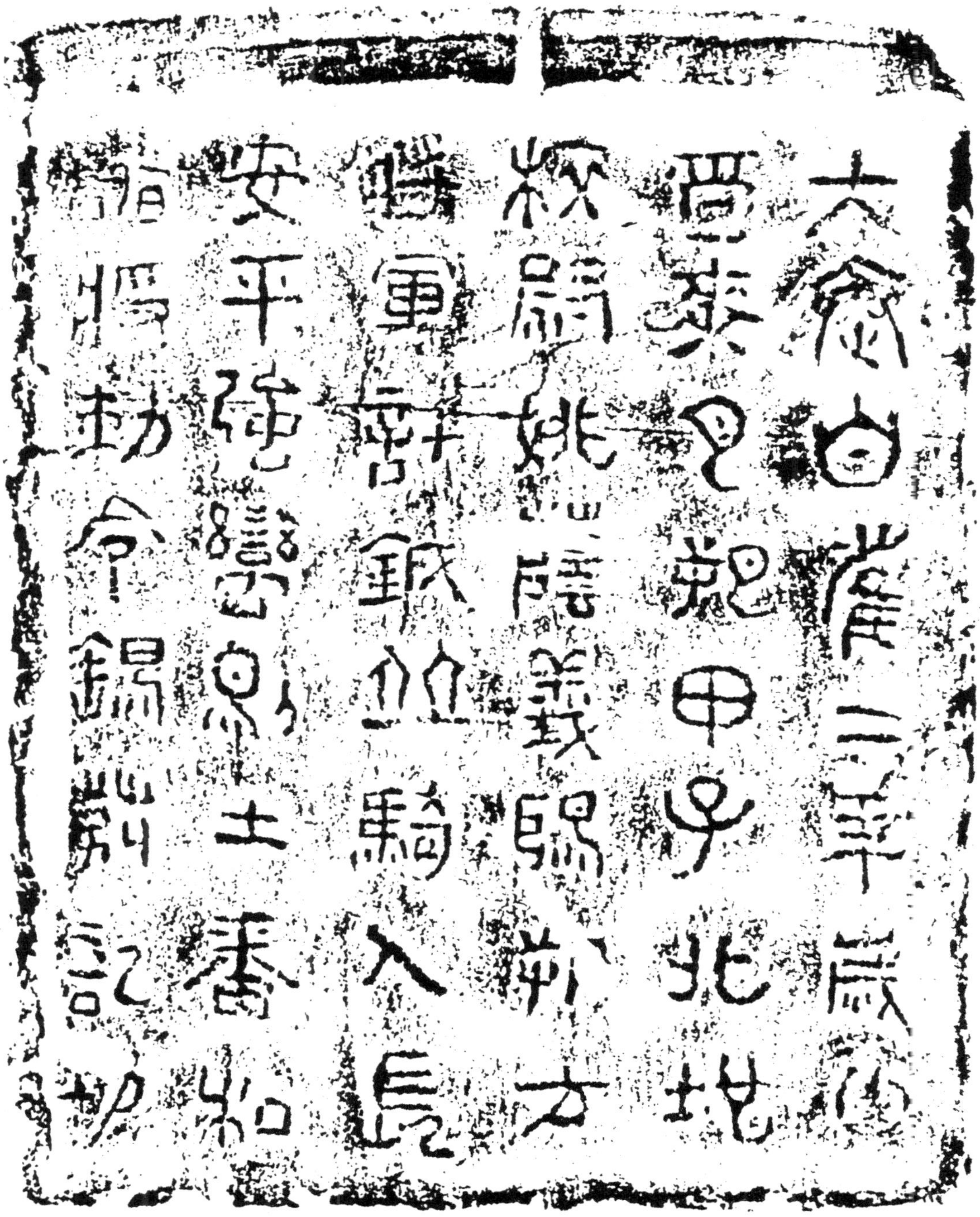

白雀二年記功莂磚

釋文：大秦白雀二年歲乙／酉桼月朔甲子北地／校尉姚蔭義陽朔方／將軍許鉞并騎入長／安平彊鑾皀土番和／諸將勑令錫莂記功

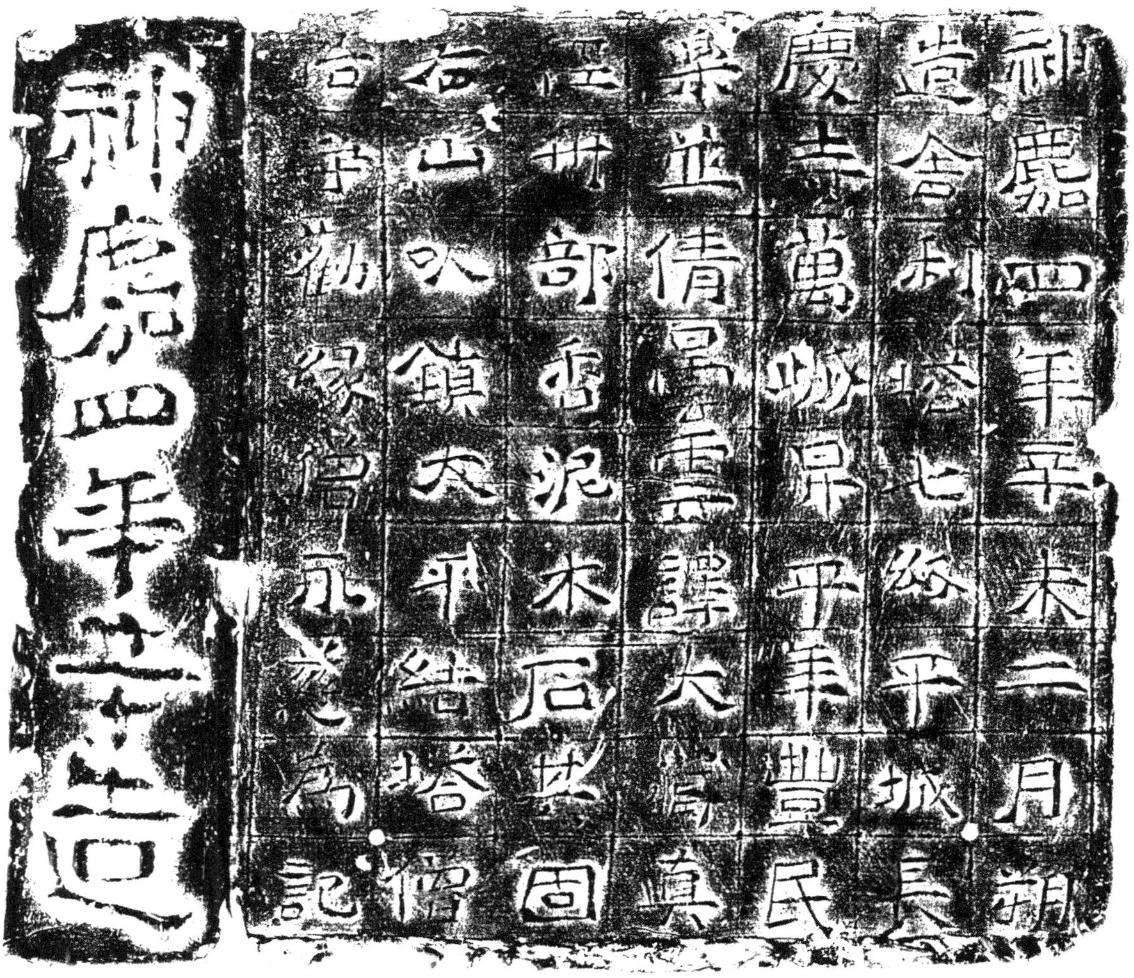

側面　　正面

神麚四年舍利塔磚

釋文：正面：神麚四年辛未二月朔／造舍利塔七級平城長／慶寺萬歲昇平年豐民／樂并倩曇雲譯大藏真／經卅部香泥木石其固／若山以鎮太平結塔僧／恬浄勸緣僧永慈爲記

側面：神麚四年辛造

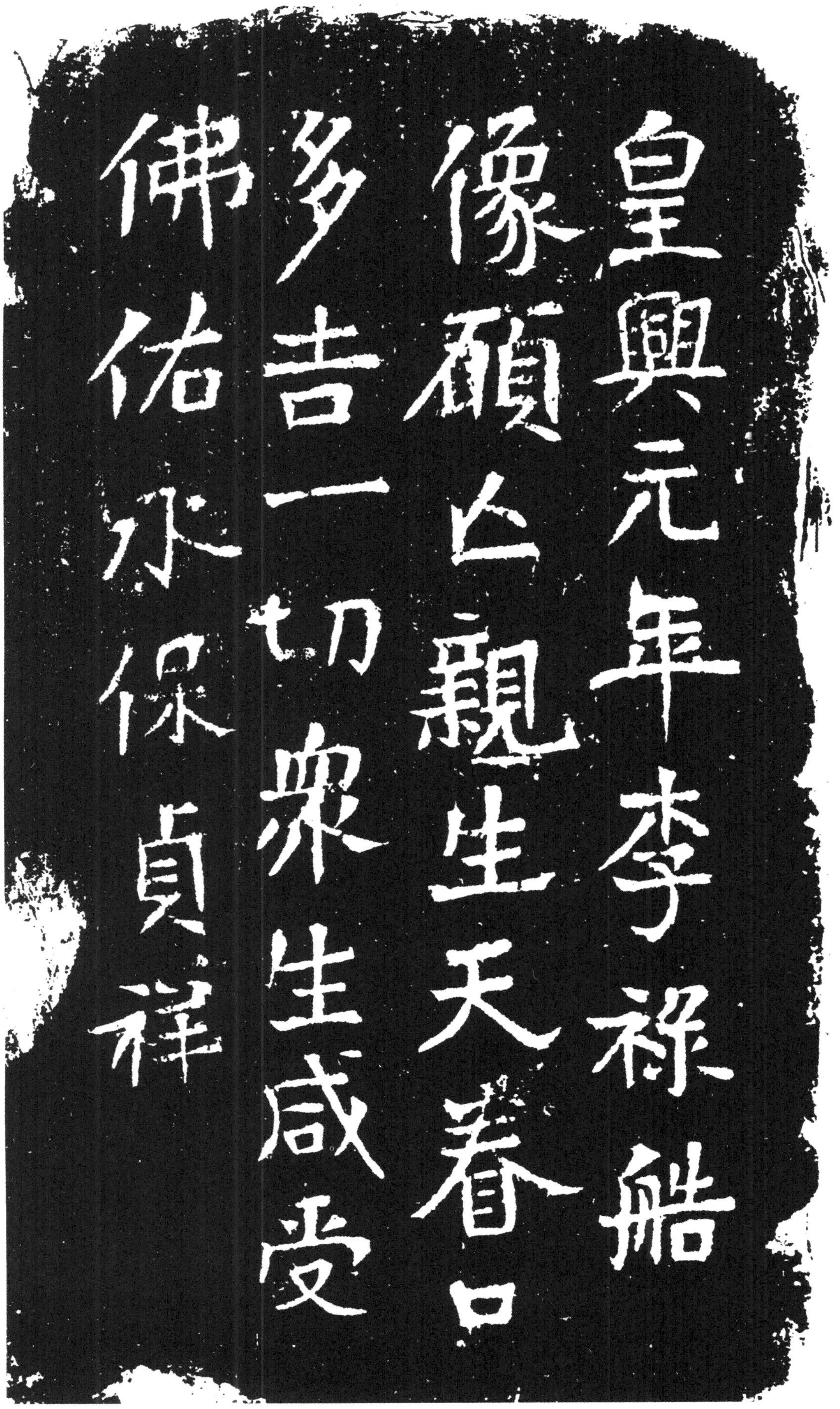

皇興元年李禄造像記磚

釋文：皇興元年李禄造／像願亡親生天／眷口／多吉一切衆生咸受／佛佑／永保貞祥

正始元年許和世墓銘磚

釋文：正始元年歲次甲申／十二月癸酉朔十三日／乙酉高陽郡新城縣／前鎮北府參軍事／故許和世墓／銘

正始四年元達豆官妻楊貴姜墓銘磚

釋文：大魏正始四年三月十四日／元達豆官妻楊貴／姜之銘

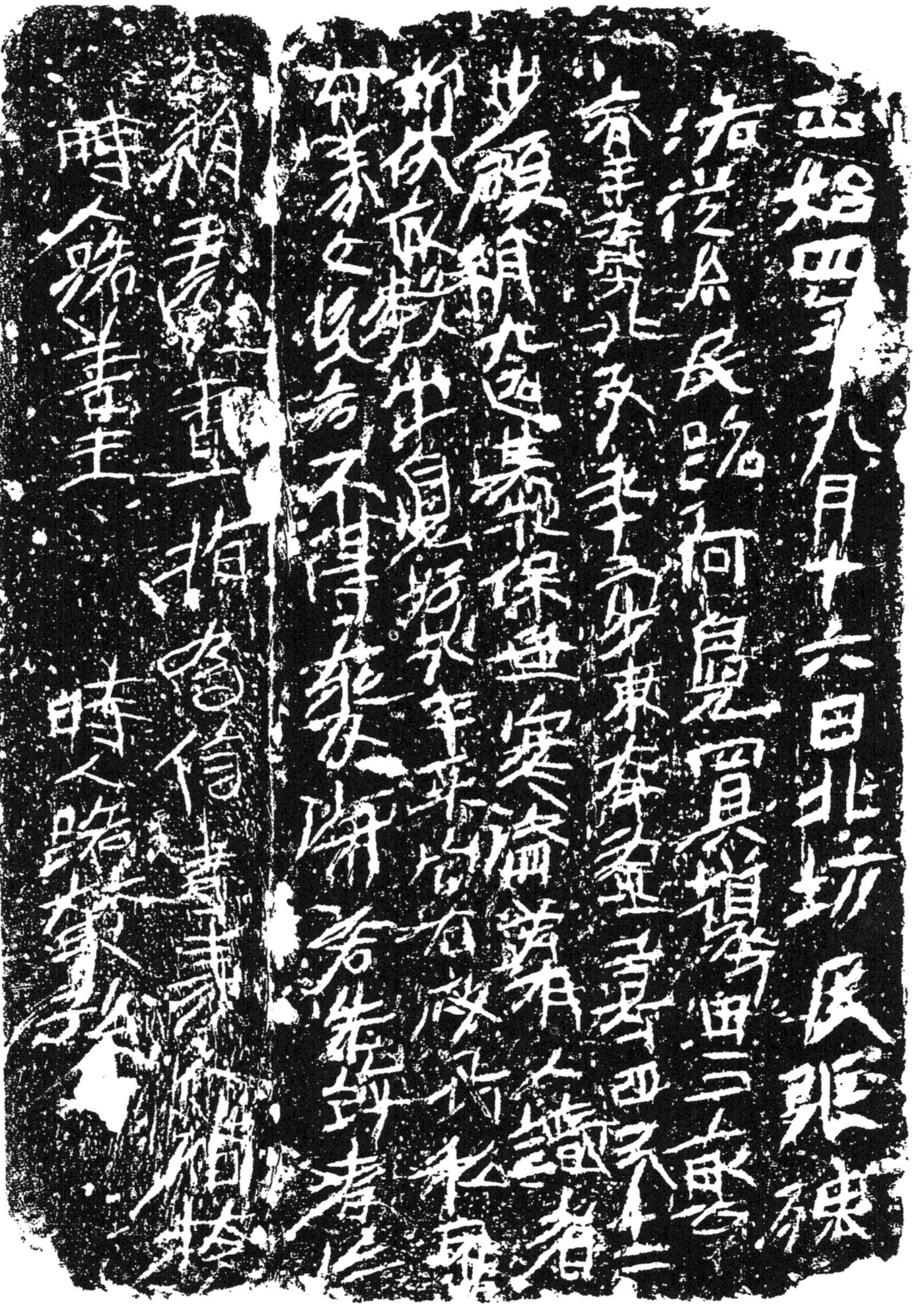

側面　　正面

正始四年張神洛買地券磚

釋文：正面：正始四年九月十六日北
坊民張神／洛從縣民路阿兜買墓
田三畝南／齊平墓北引五十三步
東齊□墓西引十二／步碩絹九匹
其地保無寒盗若有人識者／折成
畝數出兜好□年采官有啓民私
□／□券文後各不得變悔若先改
者出
側面：絹五匹畫指爲信書券人
潘□／時人路善王時人路榮孫

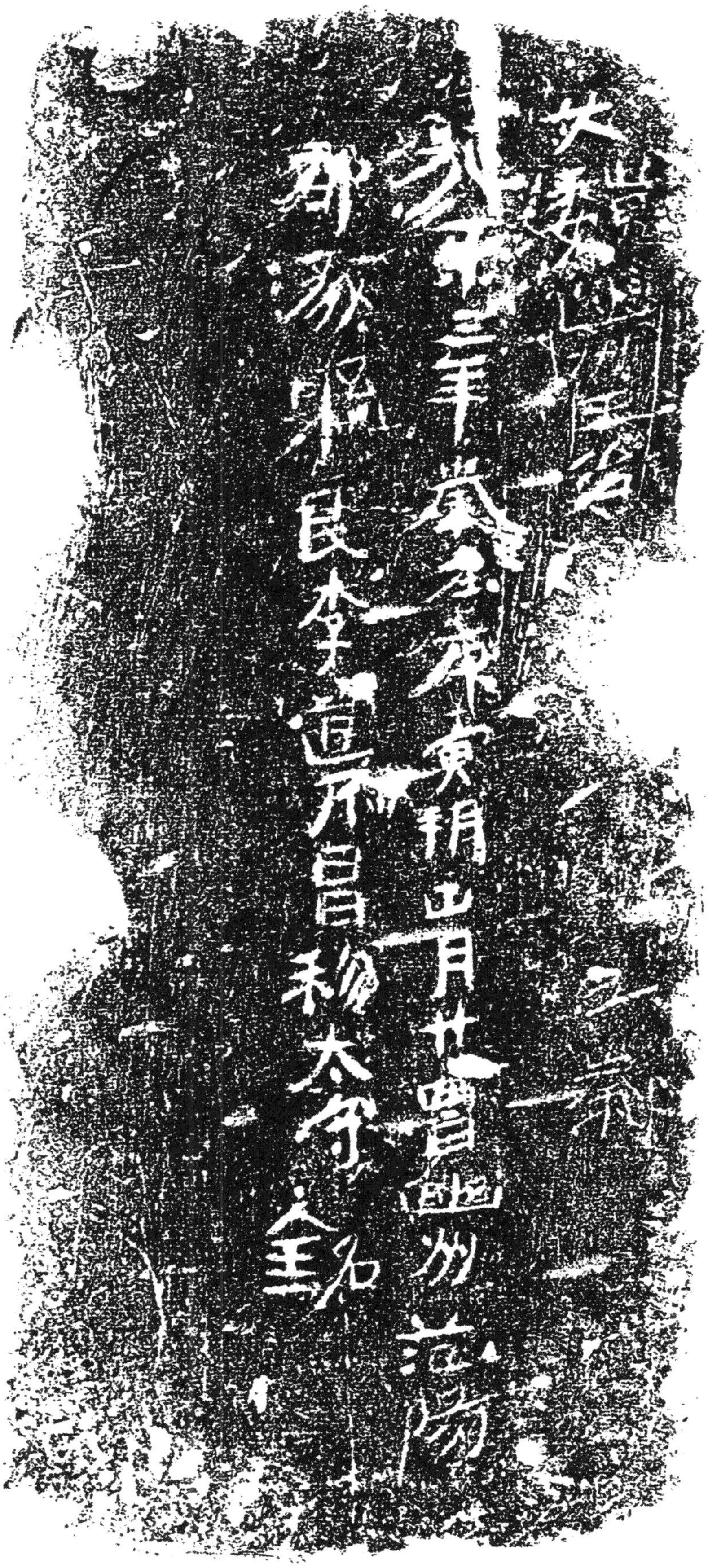

永平三年李道□墓銘磚

釋文：大魏幽州王治□□□□□秦／永平三年歲在庚寅朔正月廿四日幽州范陽／郡涿縣民李道□昌黎太守銘

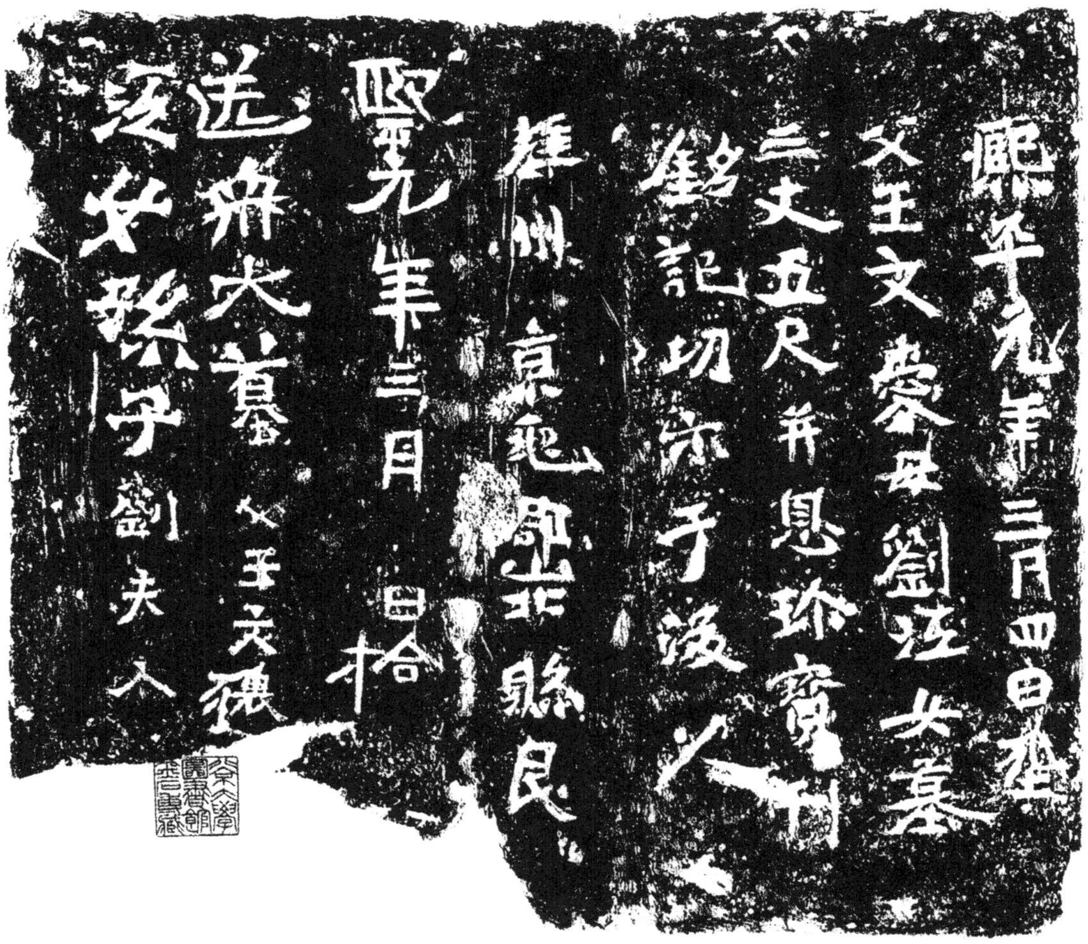

背面　側面　正面

熙平元年王文愛及妻劉江女墓銘磚

釋文：正面：熙平元年三月四日塟／父
王文愛母劉江女墓／三丈五尺并
息珍寶刊／銘記切示于後人
背面：熙平元年三月日拾／送
衆大墓父王文□□／江女孫子
劉夫人
側面：雍州京兆郡山北縣民

熙平元年王遵敬及妻薛氏墓銘磚

釋文：熙平元年九月八日／河東郡王遵敬／銘記并妻薛

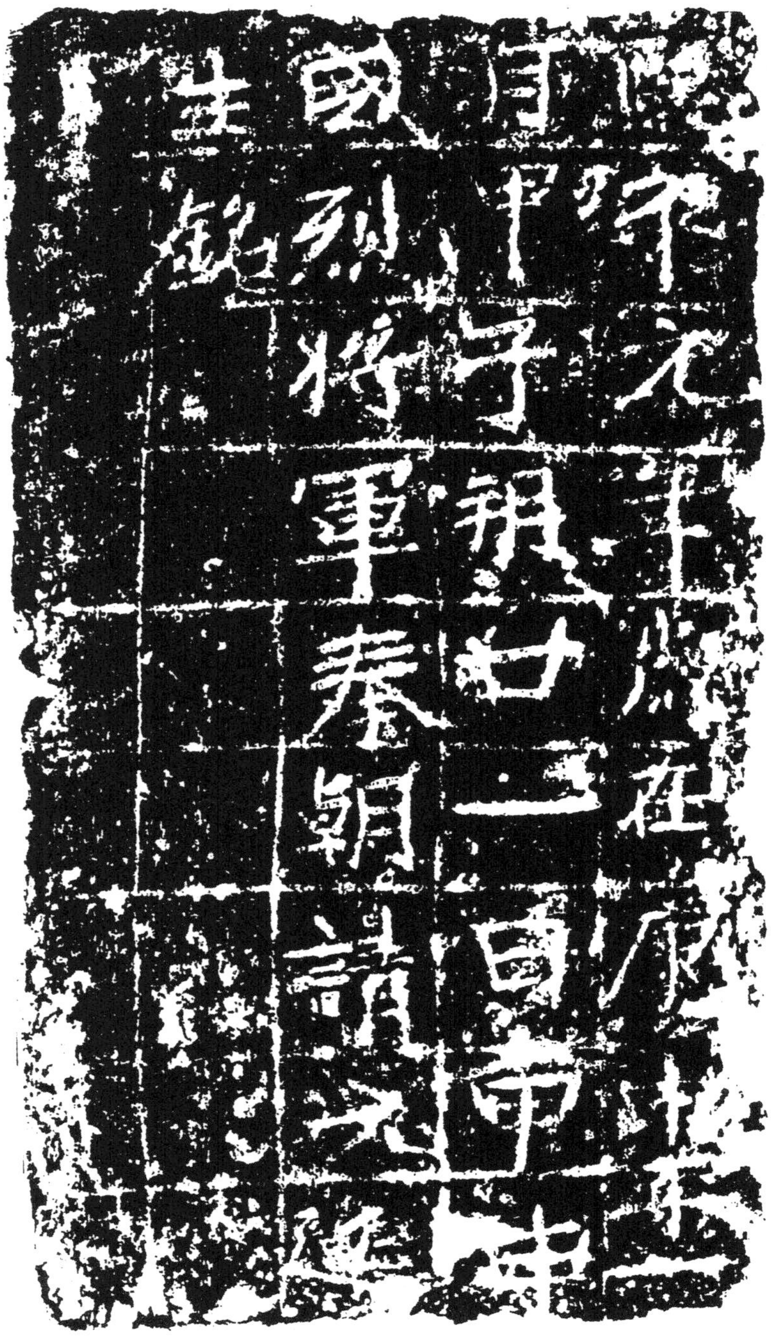

熙平元年元延生墓銘磚

釋文：熙平元年歲在庚申十一／月甲子朔廿一日甲申／威烈將軍奉朝請元延／生銘

神龜二年劉榮先妻馬羅英墓記磚

釋文：河陰縣人劉榮先／妻馬羅英／神龜二年七月五日

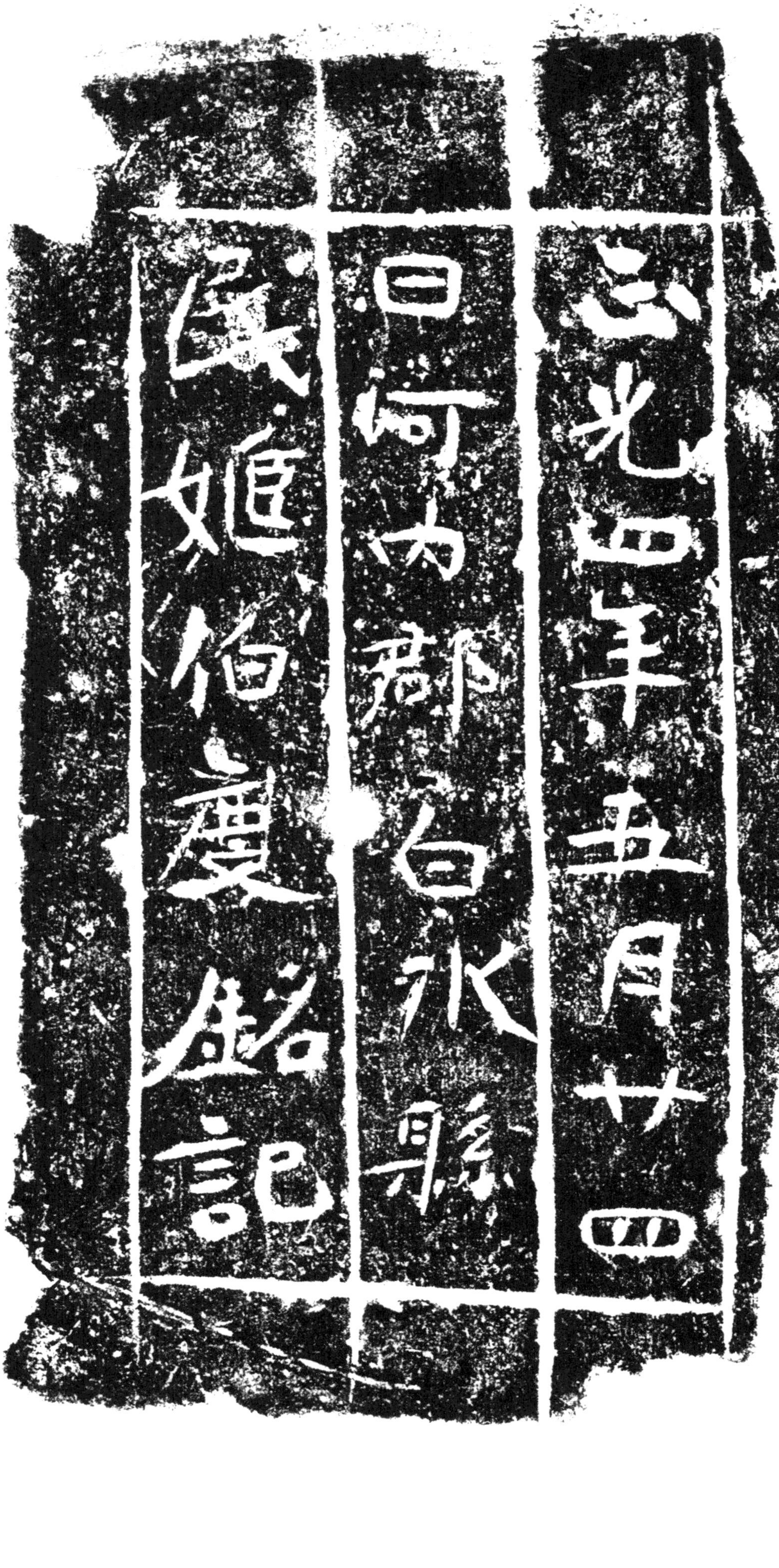

正光四年姬伯慶墓銘磚

釋文：正光四年五月廿四/日河內郡白
水縣/民姬伯慶銘記

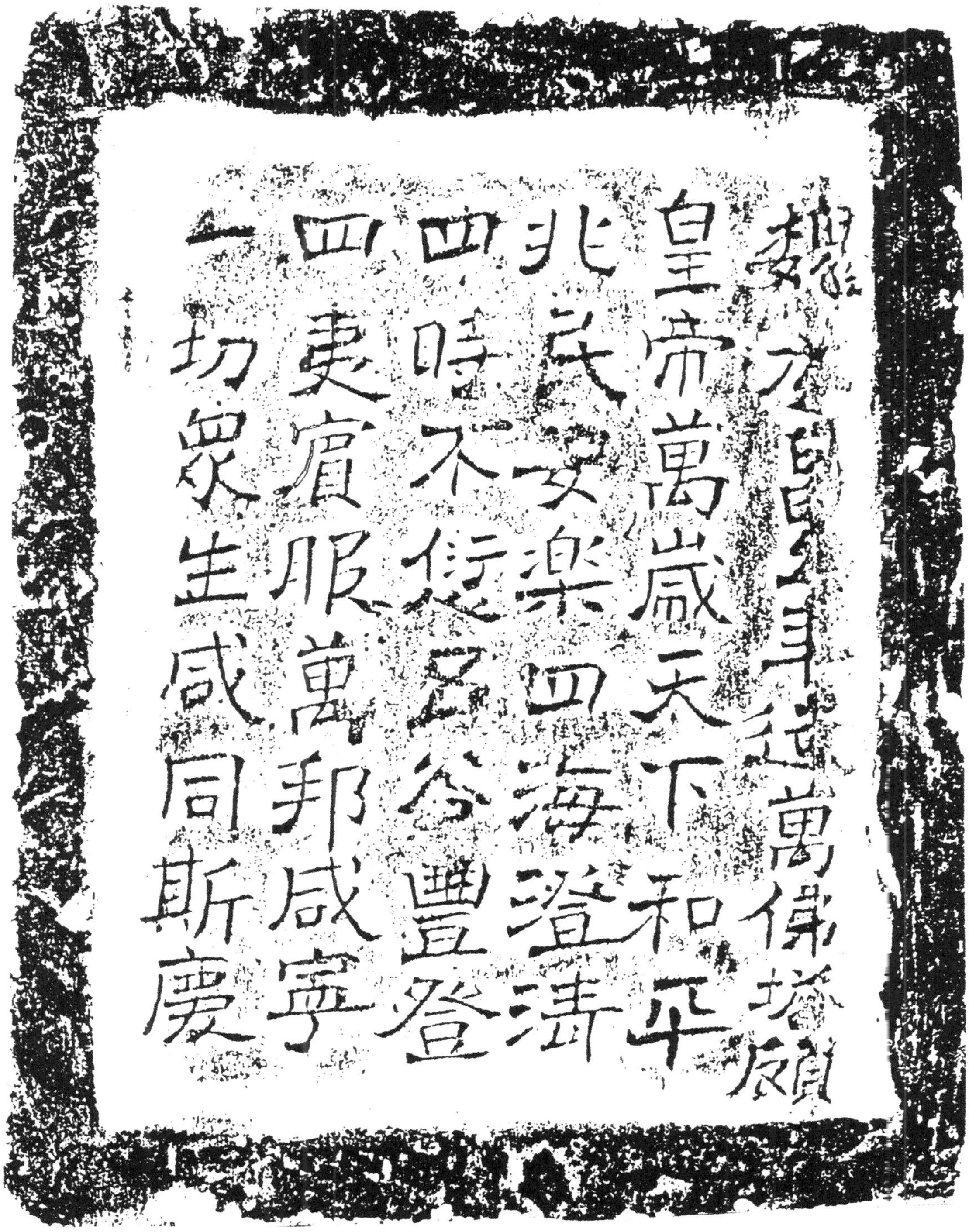

孝昌二年造萬佛塔磚

釋文：魏孝昌二年造萬佛塔願／皇帝萬歲天下和平／兆民安樂四海澄清／四時不愆五谷（穀）豐登／四夷賓服萬邦咸寧／一切衆生咸同斯慶

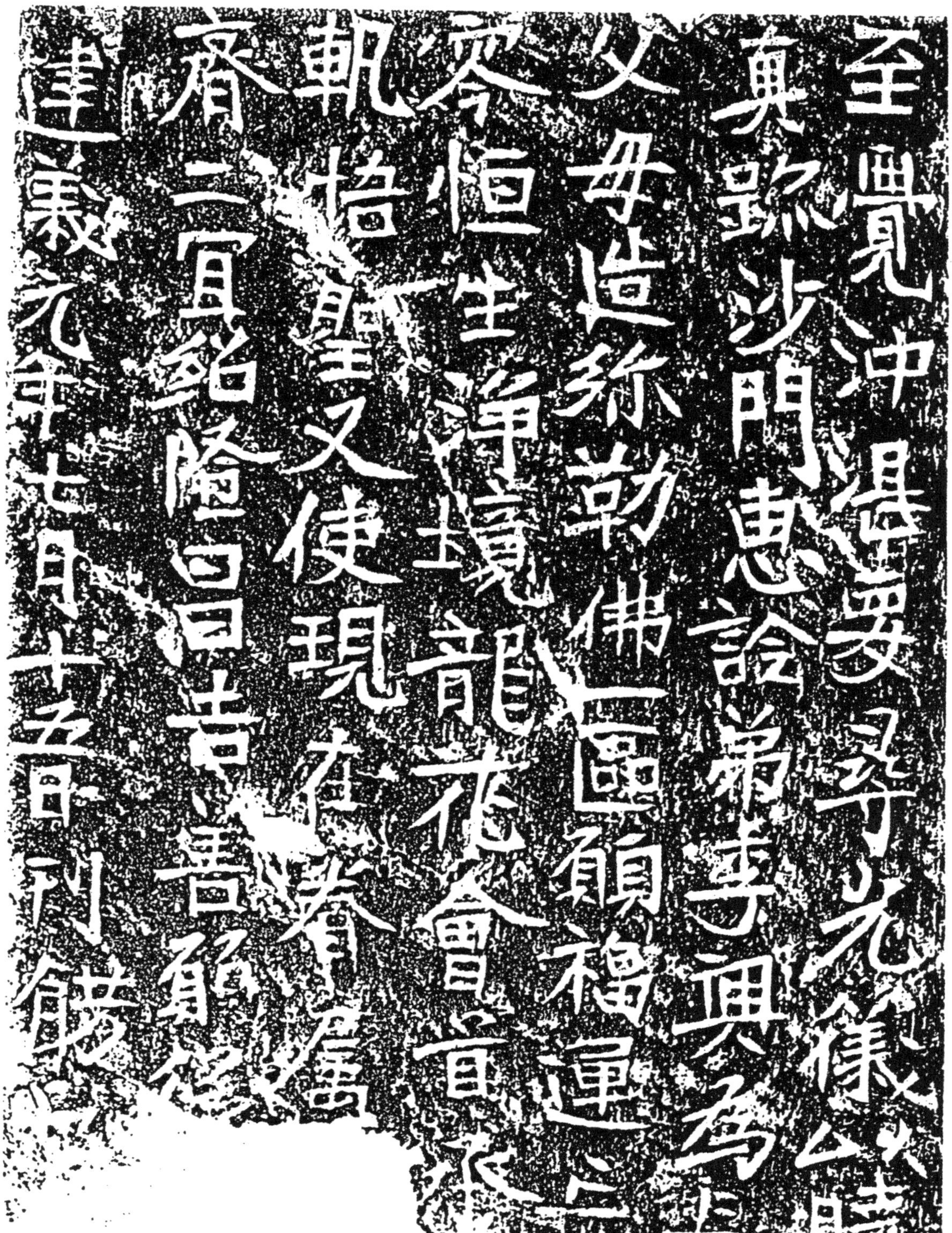

建義元年李興造像磚

釋文：至覺沖湛要尋光儀以曉/真跡沙門惠詮弟李興爲亡/父母造彌勒佛一區願福運亡/零恒生净境龍花會首承/軌悟聖又使現在眷屬/齊二宜紹隆昌吉善願□/建義元年七月十五日刊□

永安四年沈起墓銘磚

釋文：大魏永安四年歲在辛亥／□月庚子朔廿二日辛幽州范陽郡／固安縣人東郡太守沈起銘記

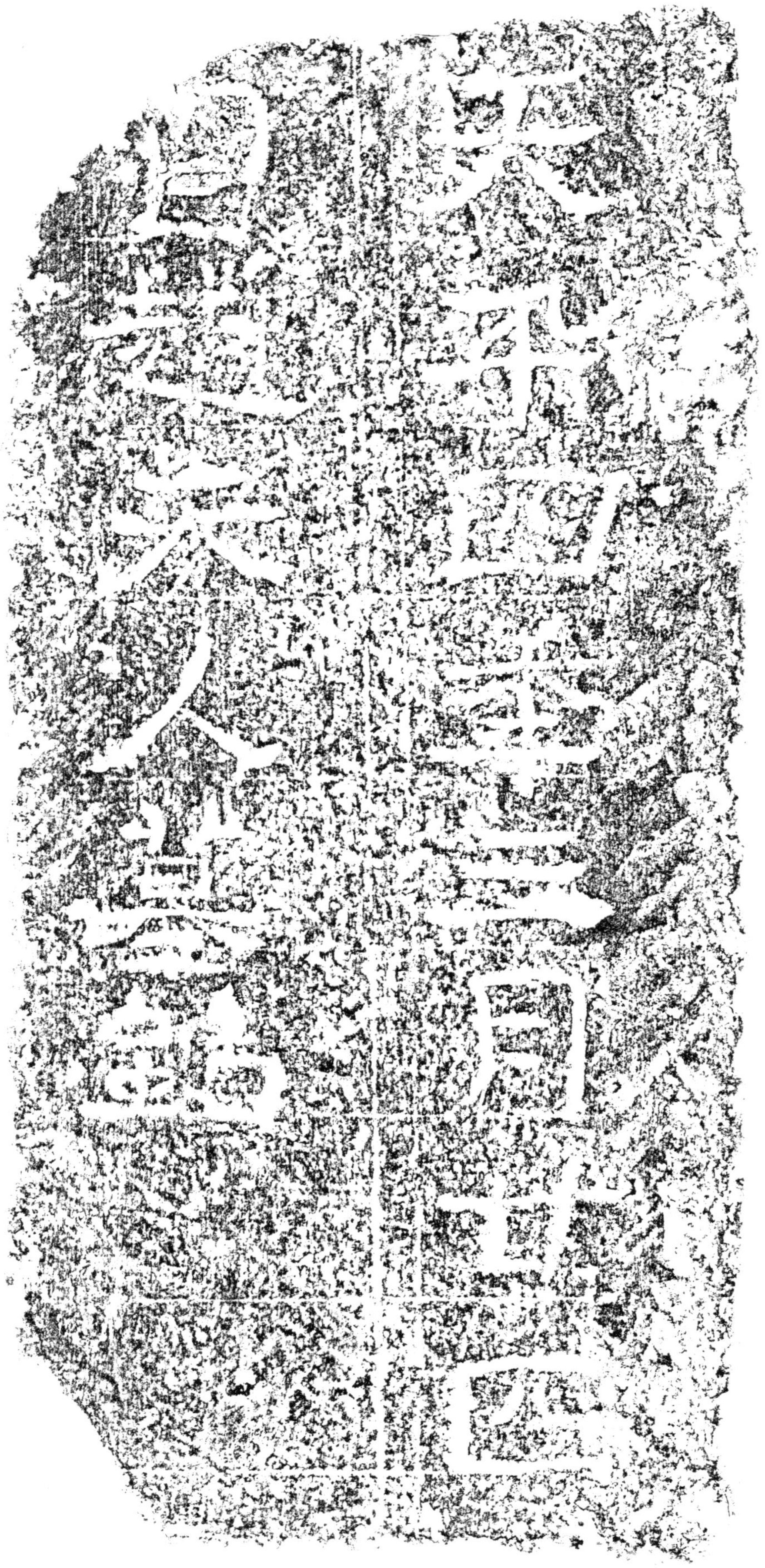

天平四年趙夫人墓銘磚

釋文：天平四年三月廿四/日趙夫人墓銘

北朝

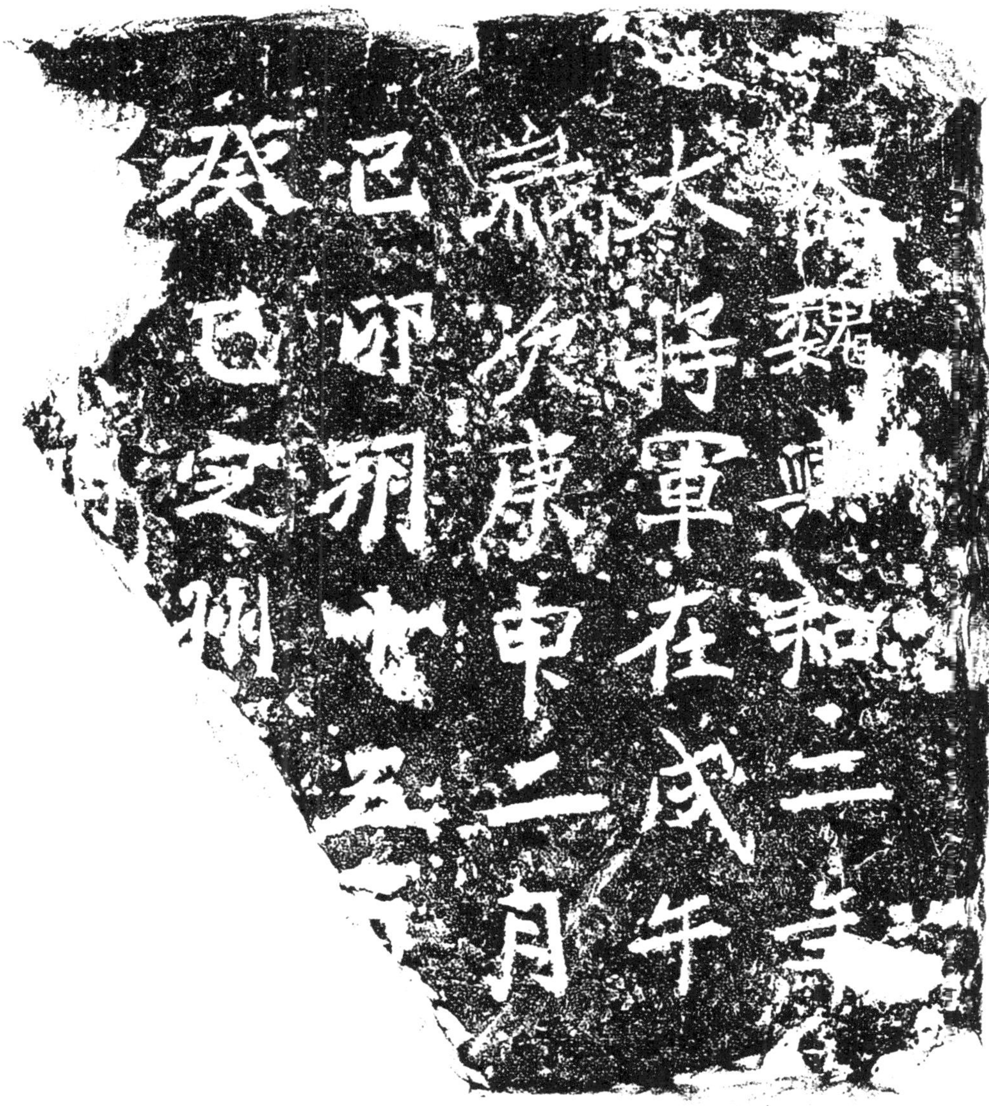

興和二年大將軍等字磚

釋文：大魏興和二年／大將軍在戊午／歲次庚申二月／己卯朔十五日／癸巳定州一二二一

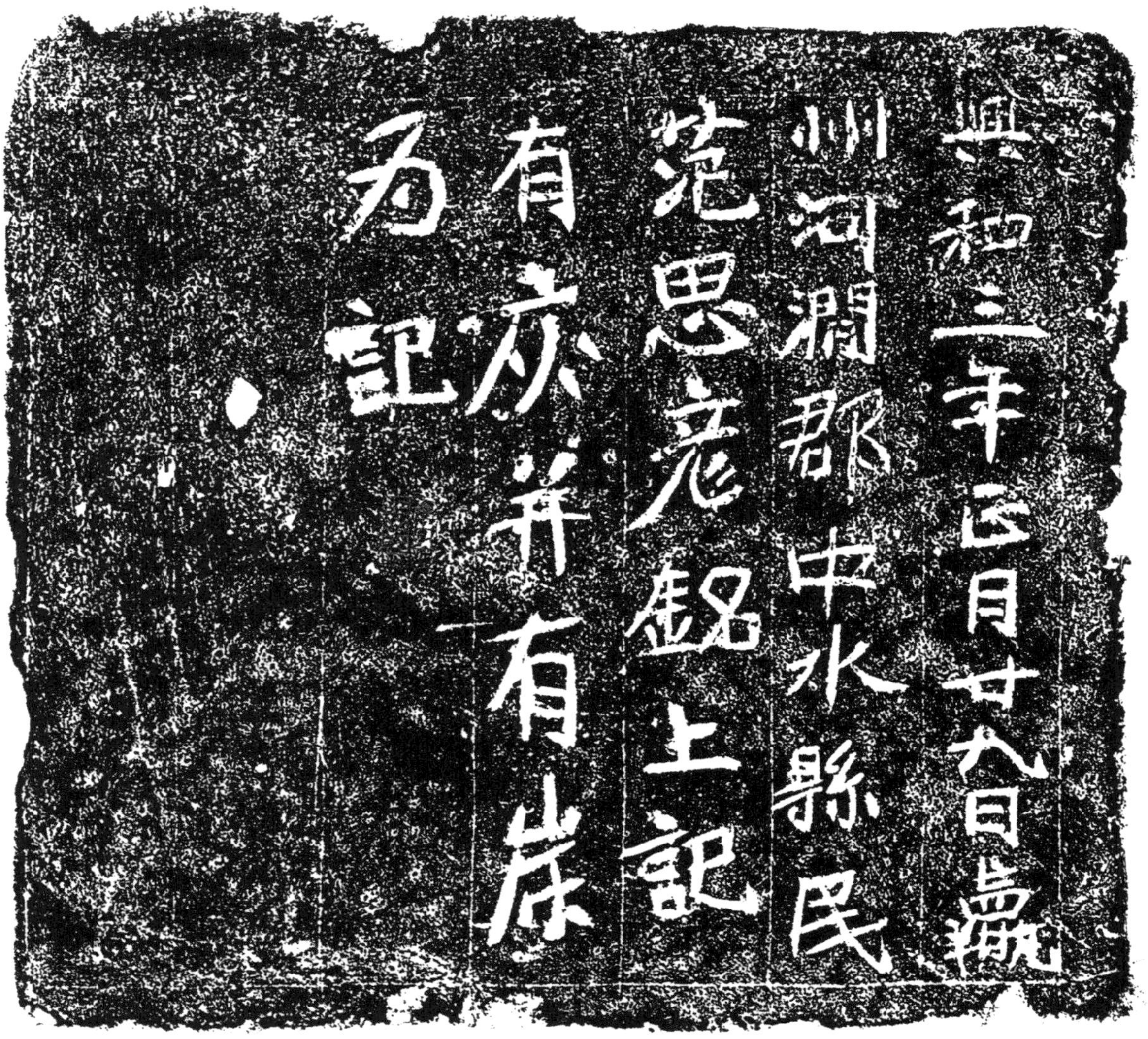

興和三年范思彦墓記磚

釋文：興和三年正月廿九日嬴／州河澗郡中水縣民／范思彦銘上記／有灰并有炭／爲記

興和三年趙九弼墓記磚

釋文：顯考趙九弼／河南洛陽縣知縣之柩／興和三年二月廿六日造立

武定二年羅家娣訾要墓記磚

釋文：武定二年十一月／三日羅家娣／訾要□記

武定六年王顯明墓銘磚

釋文：武定六年四月十五日／王顯明銘記

天保元年魏黄三墓記磚

釋文：天保元年六月八日／新城人魏黄三記

天保元年孟蕭姜墓記磚

釋文：武德郡平皐縣民／故人妻孟蕭姜／天保元年八月廿九日

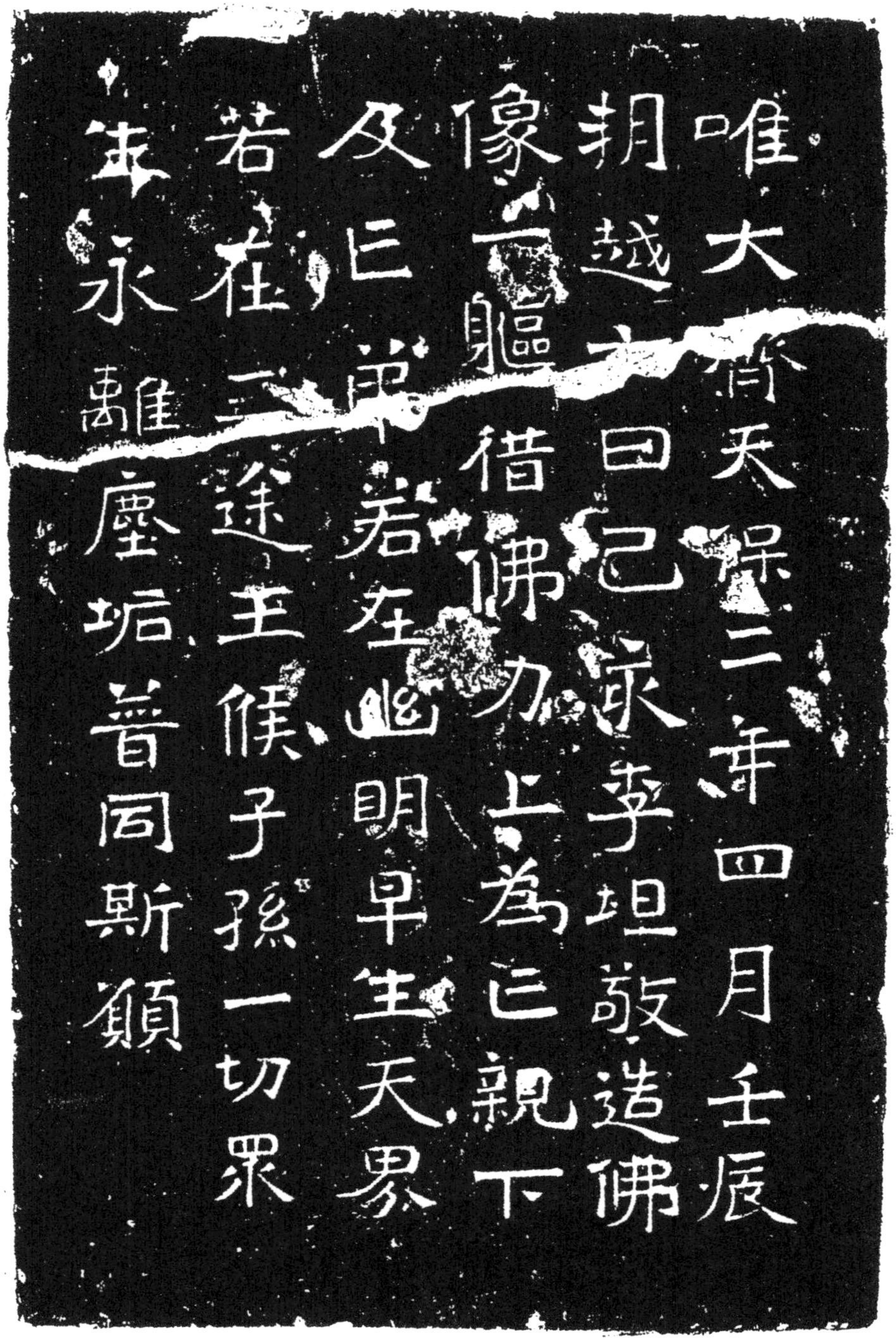

天保二年李坦造像磚

釋文：唯大齊天保二年四月壬辰／朔越六日己亥李坦敬造佛／像一軀借佛力上爲亡親下／及亡弟若在幽明早生天界／若在三途王侯子孫一切衆／生永離塵垢普同斯願

天保四年張□和息妻阿趙墓銘磚

釋文：大齊天保四年八月四日□／古人張□和息妻阿／趙銘記

磚一

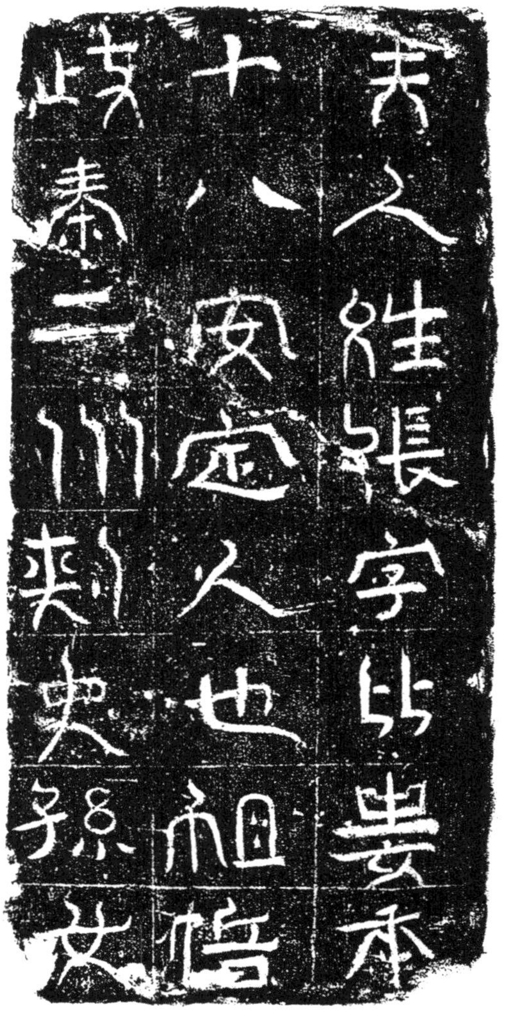

磚二

天保七年若干子雄妻張比婁墓銘磚

釋文：磚一：大齊天保七年十二月十／五日恒州高翠郡安陽縣／若干子雄妻張銘記也

磚二：夫人姓張字比婁年／十八安定人也祖悟／岐秦二州刺史孫／女

乾明元年董顯□墓銘磚

釋文：大齊乾明元年歲次庚□□／月壬子朔廿一日壬申雍□／京兆郡杜縣人董顯□／銘記

太寧二年封胤墓記磚

釋文：唯大齊大寧二ノ年四月廿四日故ノ人封胤遷恒州記

河清四年宋迎男墓記磚

釋文：大齊河清四年歲次乙酉四／月癸丑朔廿七日己卯／都郡成安縣／宋迎男

正面

背面

天統三年胡伏山婦墓記磚

釋文：正面：天統／三年／五月／十七日／折胡

背面：伏山／名陽／先婦／記

天統四年郭□□小伯妻徐氏墓記磚

釋文：大齊天統四年十一月廿九日／車騎大將軍滄州樂陵縣／令郭□□小伯妻徐／墓

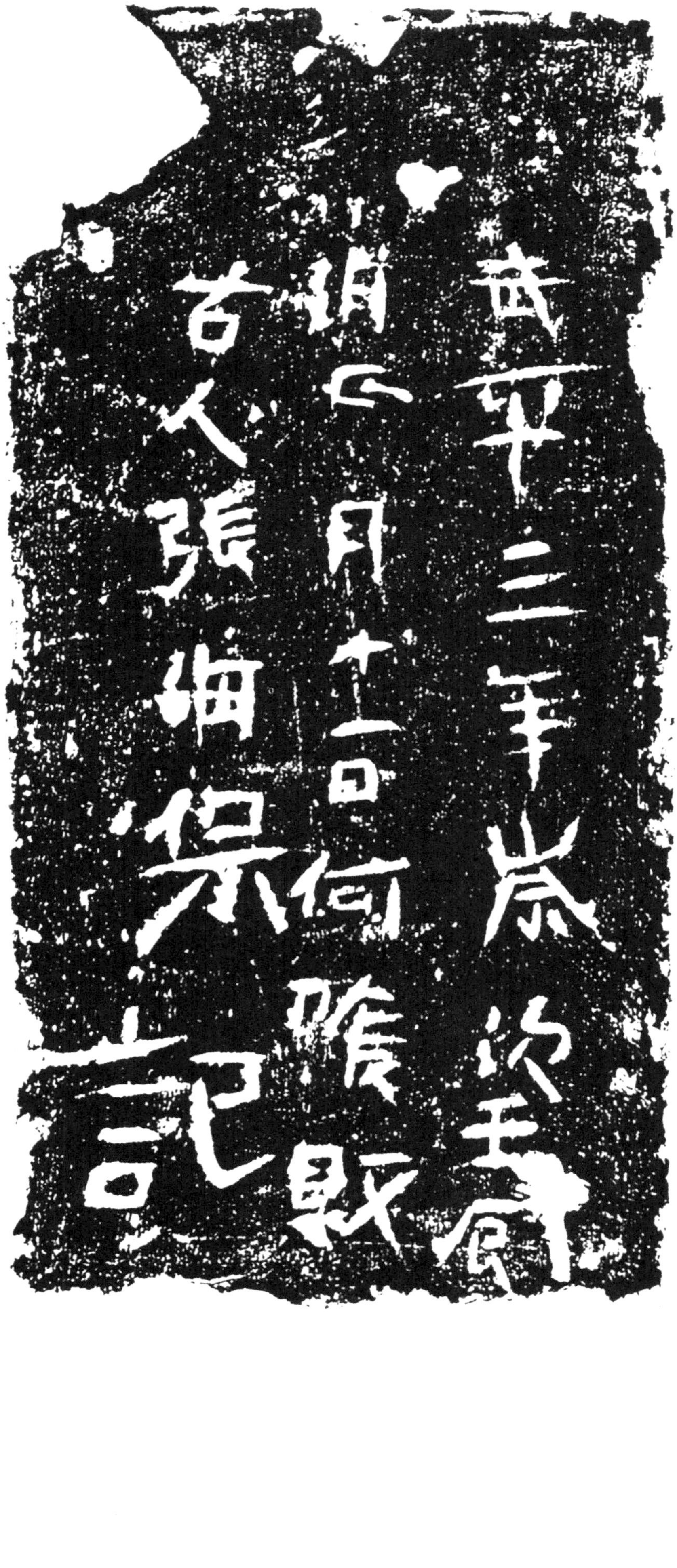

武平三年張佃保墓記磚

釋文：武平三年歲次壬辰╱朔正月十一日何陰縣╱古人張佃保記

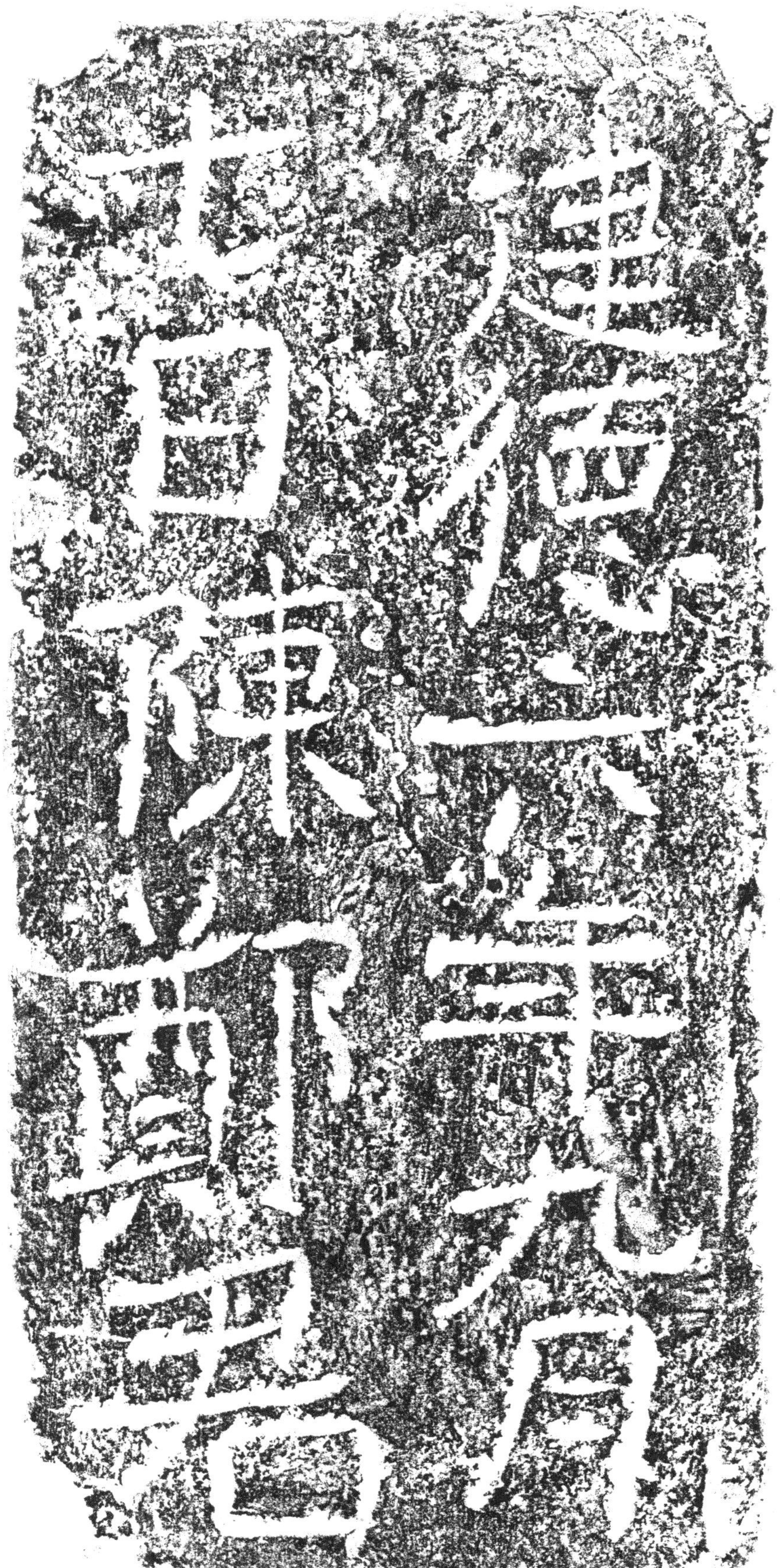

建德六年陳鄭君墓記磚

釋文：建德六年九月一七日陳鄭君

大象元年張君夫人馬氏墓銘磚

釋文：大象元年十二月十／四日夫人馬氏扶／風人也張君銘

高昌永平二年張武忠妻高氏墓表磚

釋文：永平二年庚午四月/十二日張武忠妻/高氏之墓表

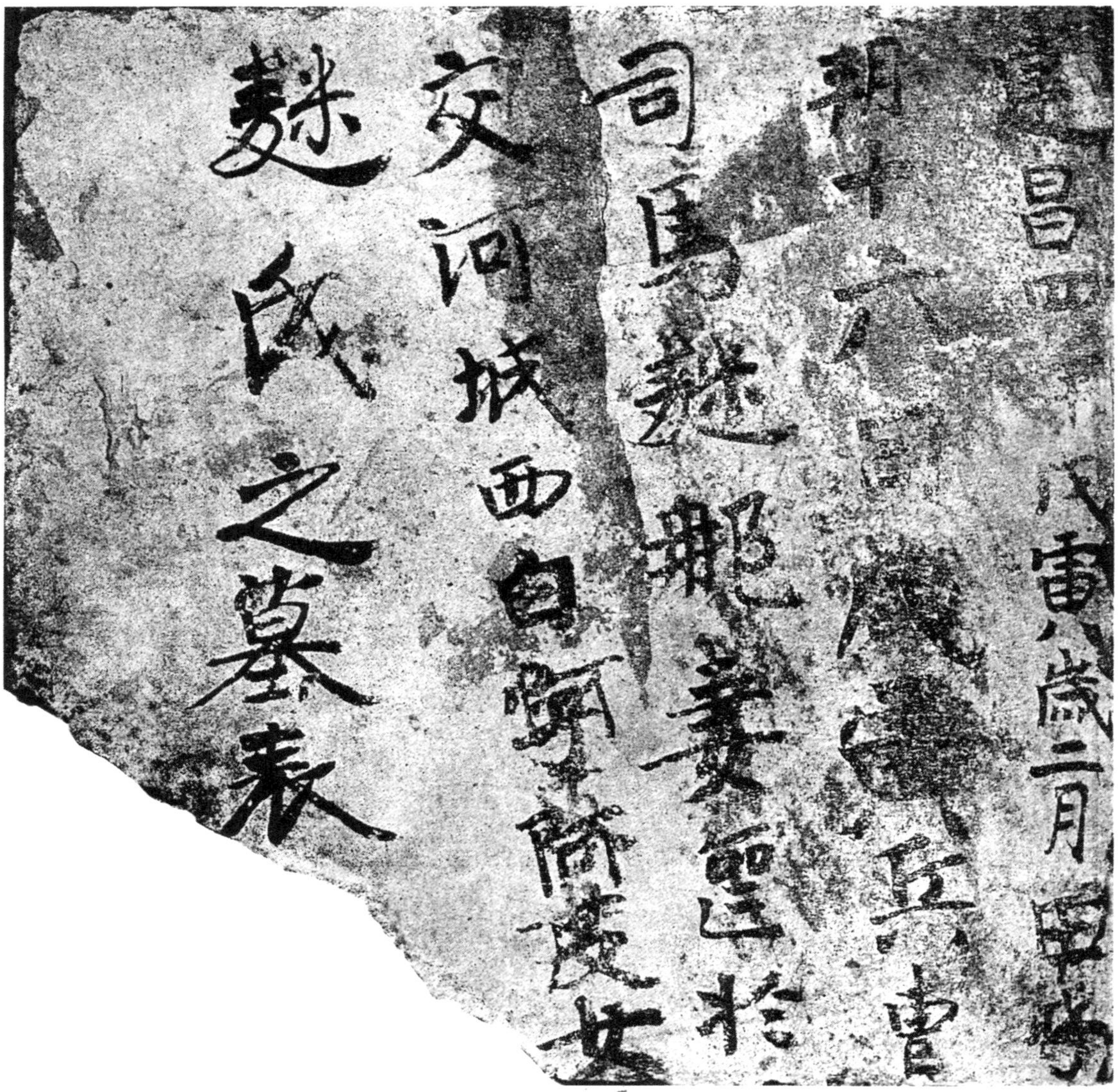

高昌建昌四年麴那妻阿度墓表磚

釋文：建昌四年戊寅歲二月甲子／朔
十六日戊寅兵曹／司馬麴那妻喪
於／交河城西白字阿度女／麴氏
之墓表

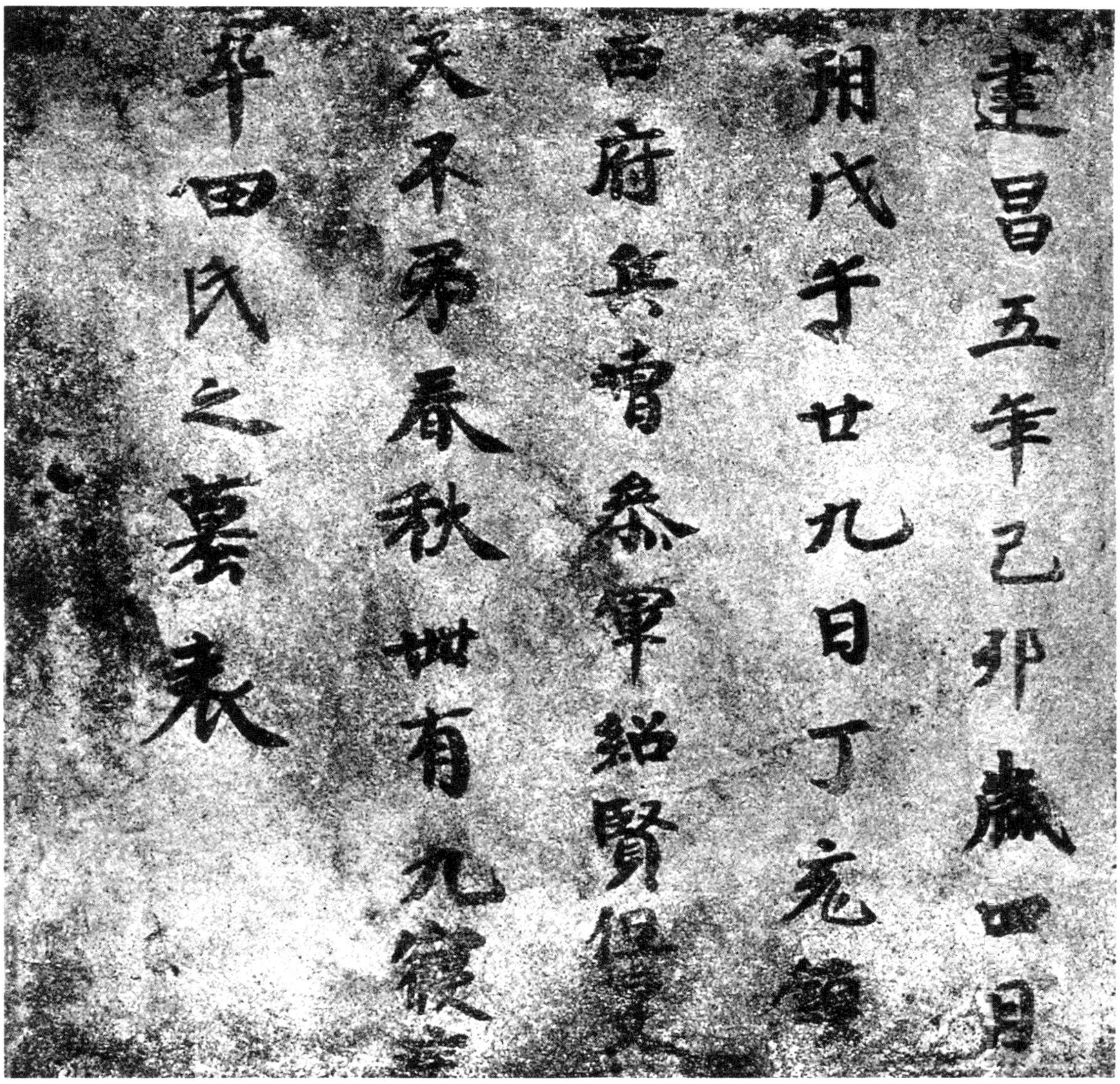

高昌建昌五年田紹賢墓表磚

釋文：建昌五年己卯歲四月／朔戊午廿九日丁亥鎮／西府兵曹參軍紹賢

俎旻／天不弔春秋卌有九寢疾／卒田氏之墓表

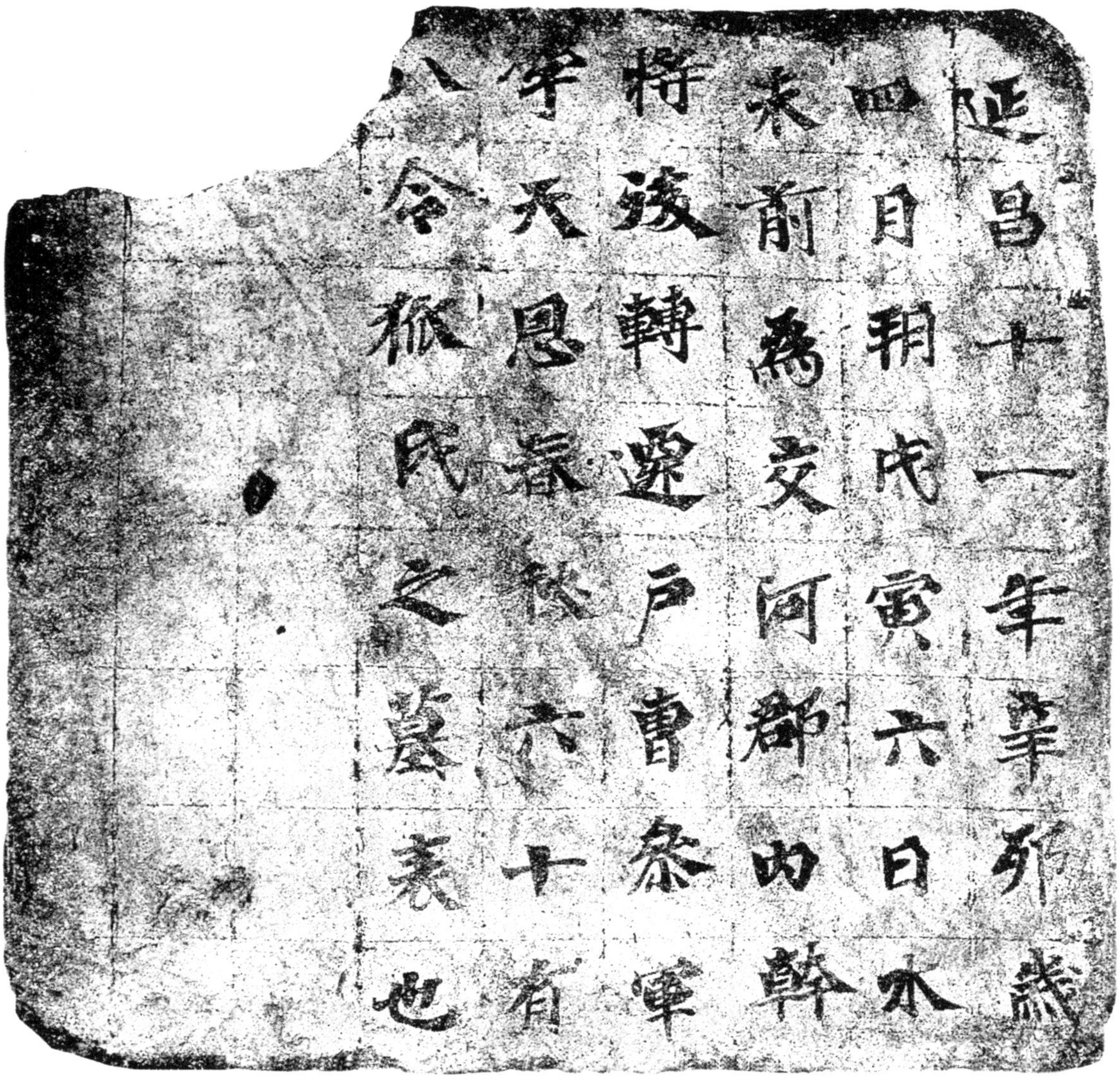

高昌延昌十一年令狐天恩墓表磚

釋文：延昌十一年辛卯歲／四月朔戊寅六日水／未前爲交河郡内幹／將後轉遷户曹參軍／字天恩春秋六十有／八令狐氏之墓表也

高昌延昌十五年張買得墓表磚

釋文：延昌十五年乙未歲七月/癸丑朔九日辛酉鎮西府/散望將追贈功曹吏吳/天不吊春秋五十有六字買/得張氏之墓表

高昌延昌十七年麴謙友墓表磚

釋文：延昌十七年丁酉歲／正月甲戌朔廿三日／丙申故處仕麴謙友／追贈交河郡鎮西府／功曹吏麴君之墓表

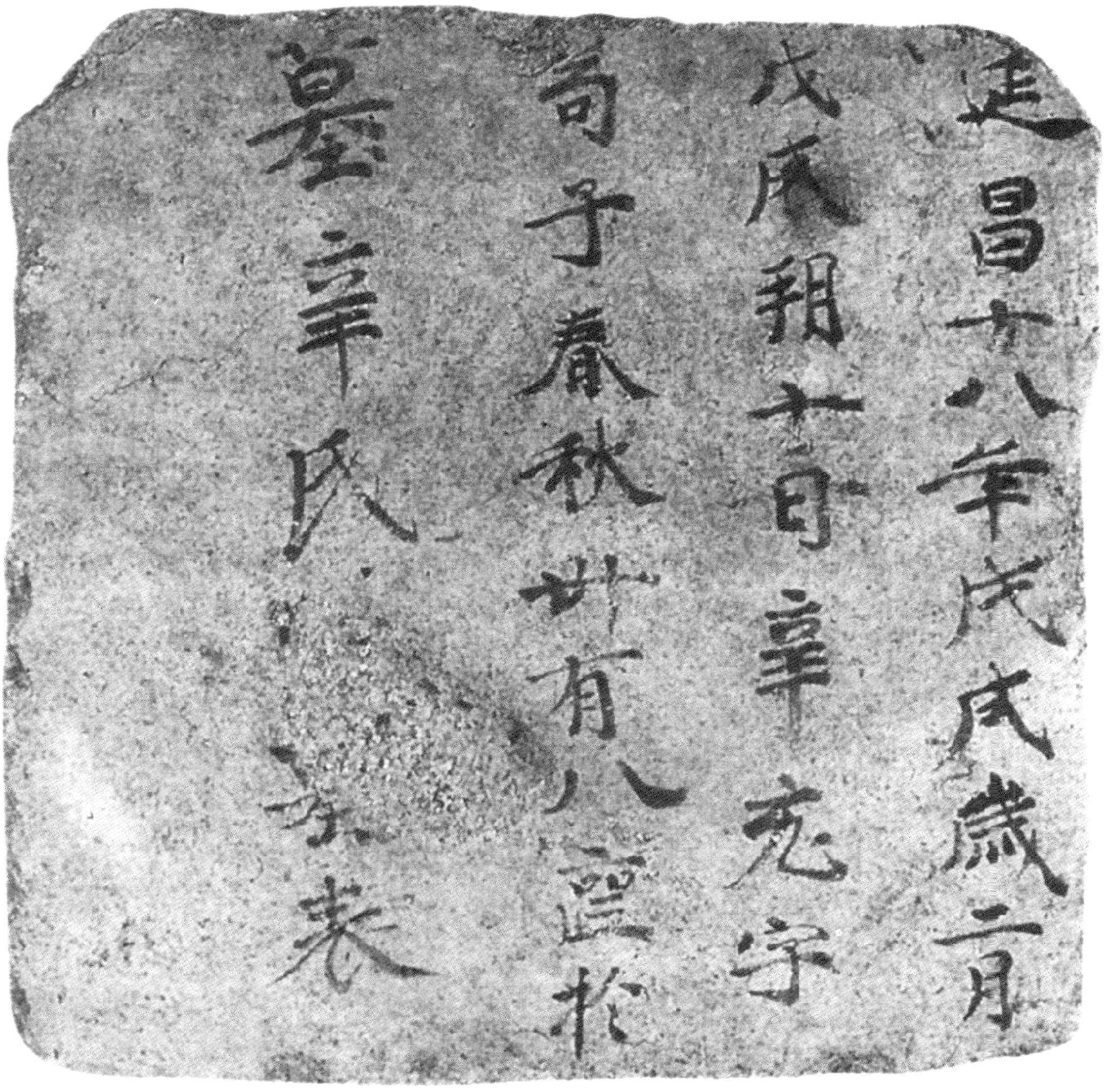

高昌延昌十八年辛苟子墓表磚

釋文：延昌十八年戊戌歲二月/戊戌朔
十三日辛亥字/苟子春秋卅有八
喪於/墓辛氏之墓表

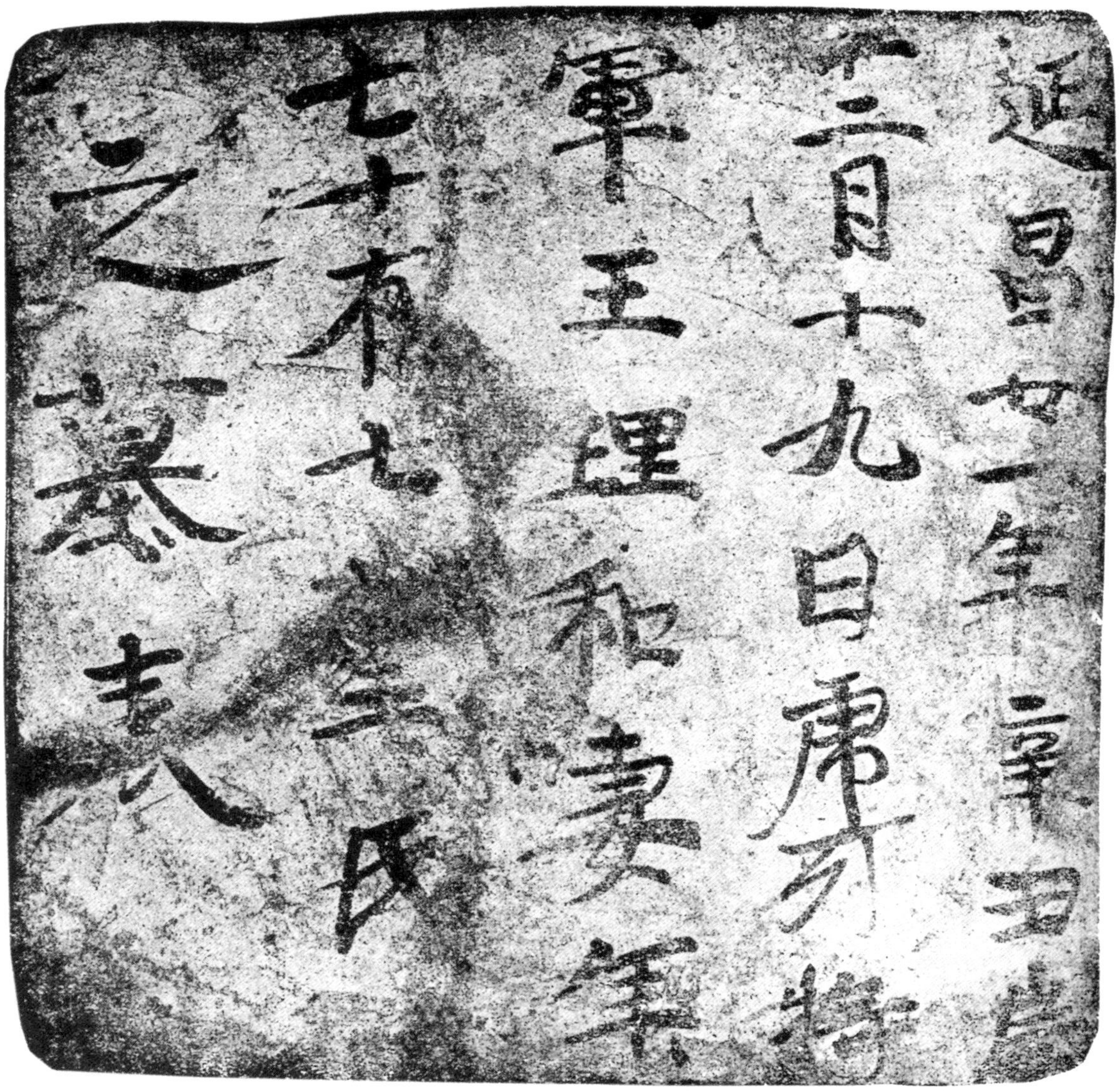

高昌延昌二十一年王理和妻董氏墓表磚

釋文：延昌廿一年辛丑歲／十二月十九日虎牙將／軍王理和妻年／七十有七董氏／之墓表

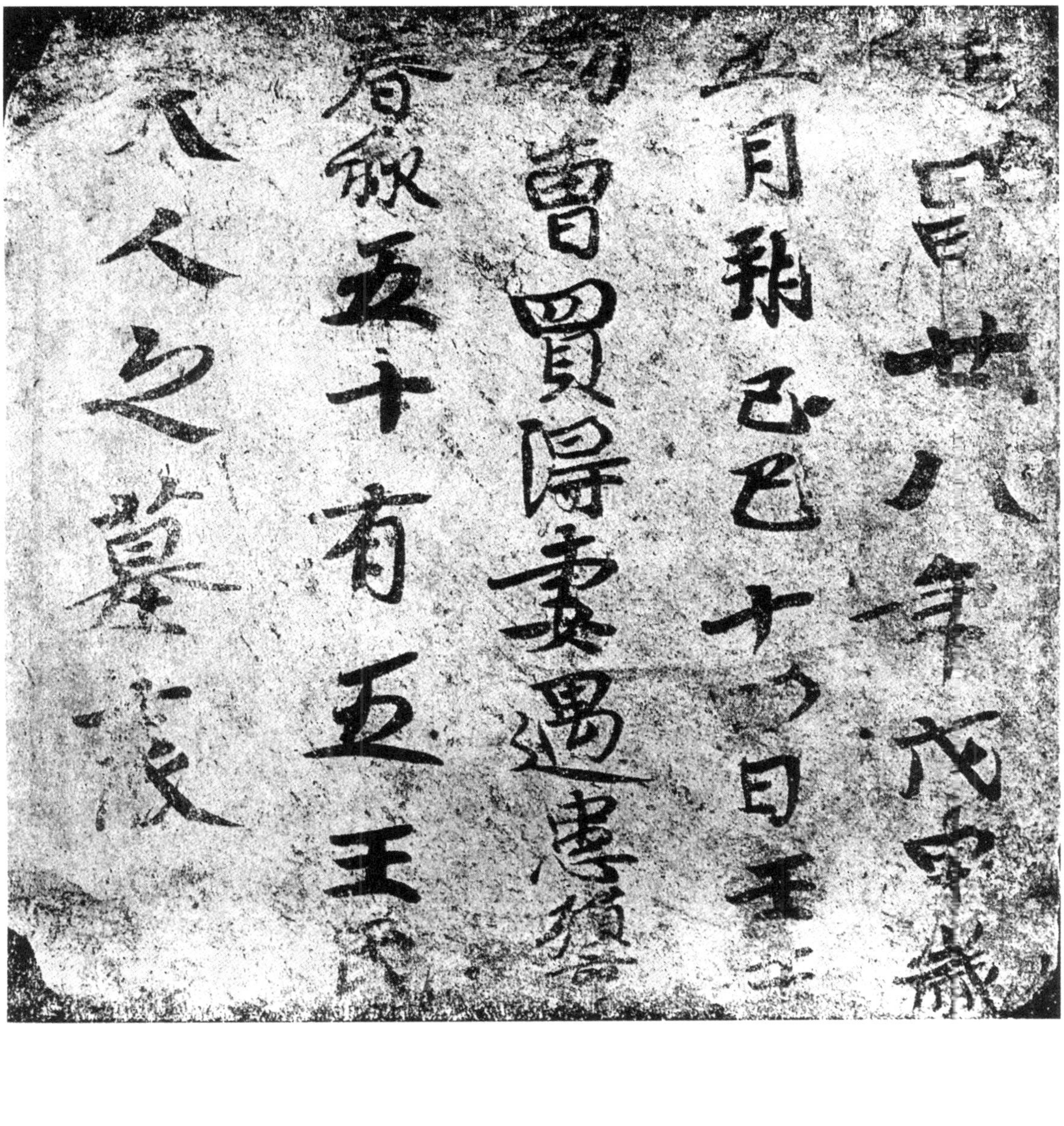

高昌延昌二十八年張買得妻王氏墓表磚

釋文：延昌廿八年戊申歲／五月朔己巳十四日壬午／𭴒曹買得妻遇患殞喪／春秋五十有五王氏／夫人之墓表

高昌延昌三十七年曹智茂墓表磚

釋文：延昌卅七年丁巳歲／八月朔乙巳
廿日甲子／兵曹參軍曹智茂春／
秋七十有九寢疾卒／靈柩葬／曹
氏之

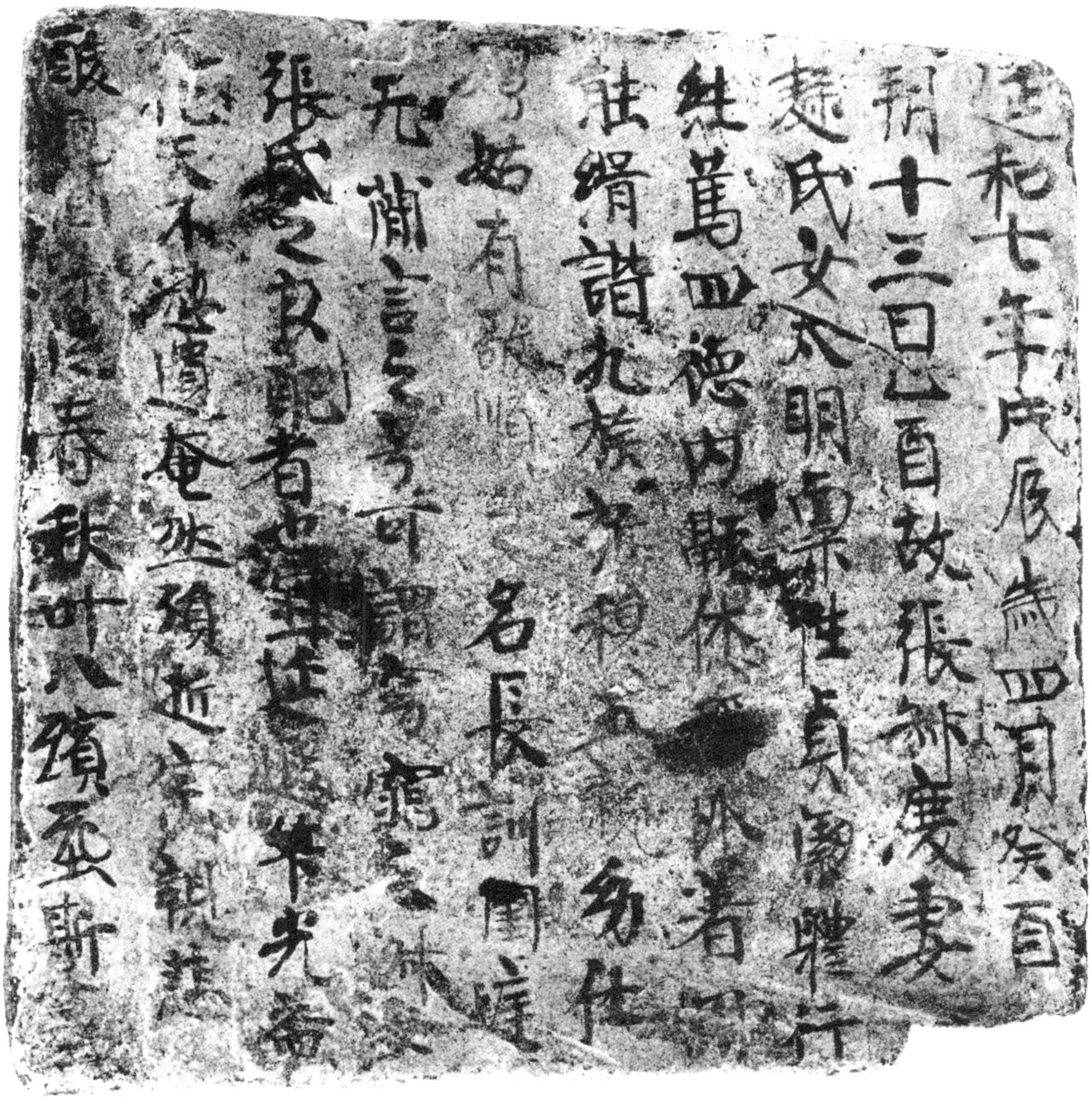

高昌延和七年張叔慶妻麴太明墓表磚

釋文：延和七年戊辰歲四月癸酉/朔十三日乙酉故張叔慶妻/麴氏女太明稟性貞潔體行/純篤四德内融休稱外著用/能絹諧九族雍穆五親幼仕/舅姑有敬順之名長訓閨庭/無蕑言之號可謂窈窕之淑女/張氏之良配者也宜延遐竿光益/大化天不慭遺奄然殞逝宗親悲/酸鄉閭啼泣春秋卅八殯葬斯墓

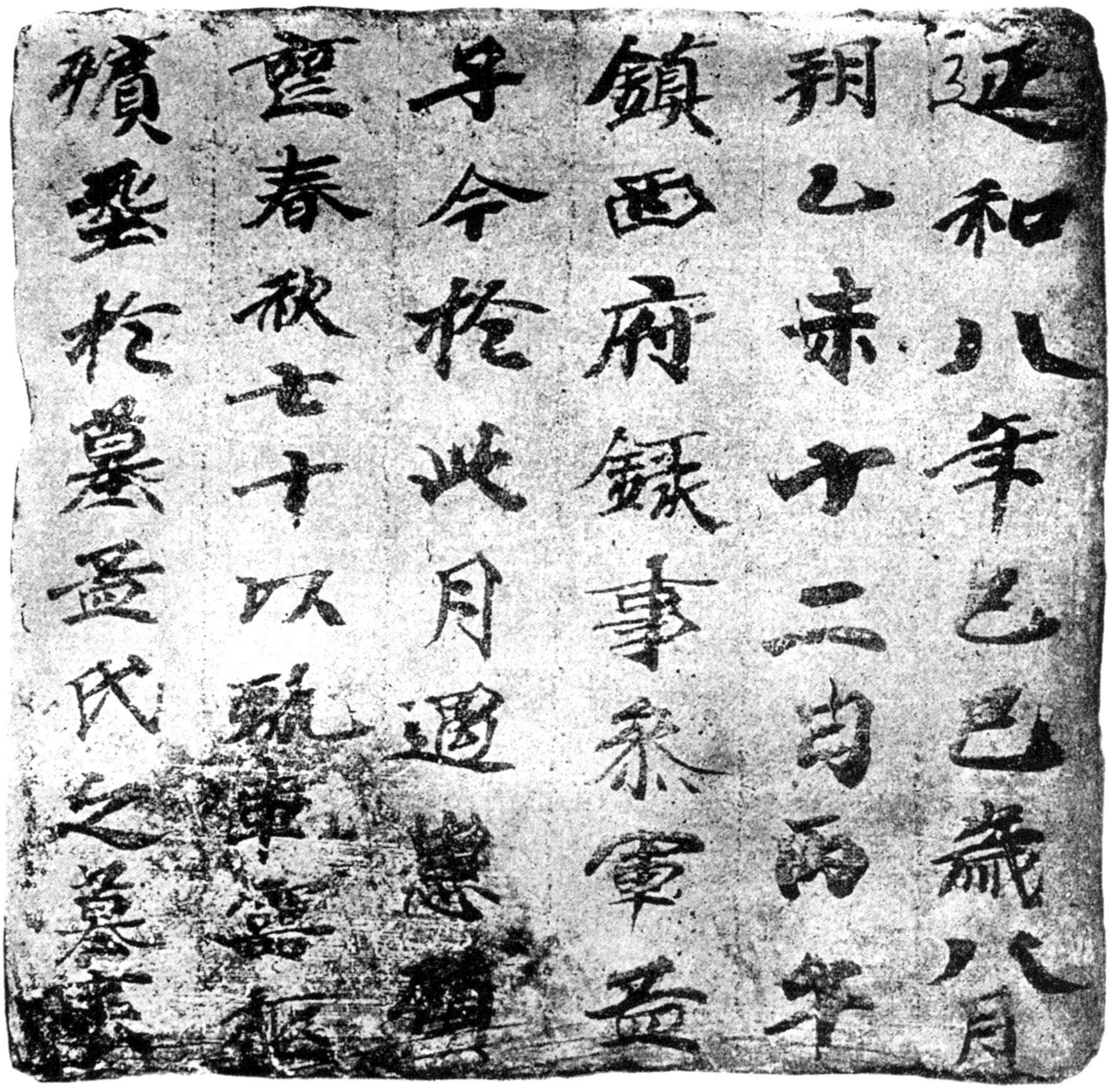

高昌延和八年孟子今墓表磚

釋文：延和八年己巳歲八月／朔乙未十二日丙午／鎮西府録事參軍孟／子今於此月遇患殞／喪春秋七十以軌車靈柩／殯葬於墓孟氏之墓表

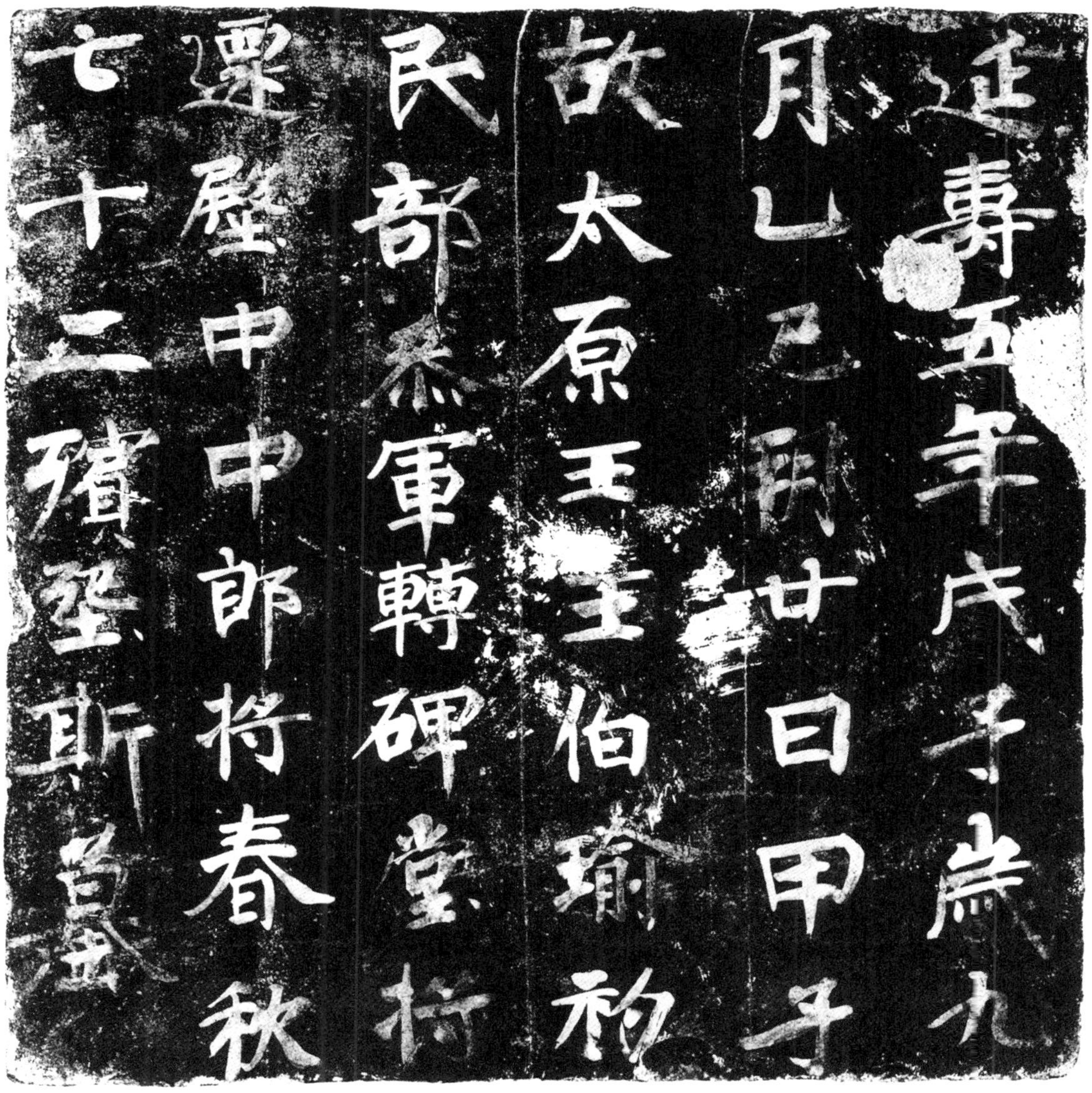

高昌延壽五年王伯瑜墓表磚

釋文：延壽五年戊子歲九／月乙巳朔廿日甲子／故太原王王伯瑜初／民部參軍轉碑堂將／遷殿中中郎將春秋／七十二殯葬斯墓

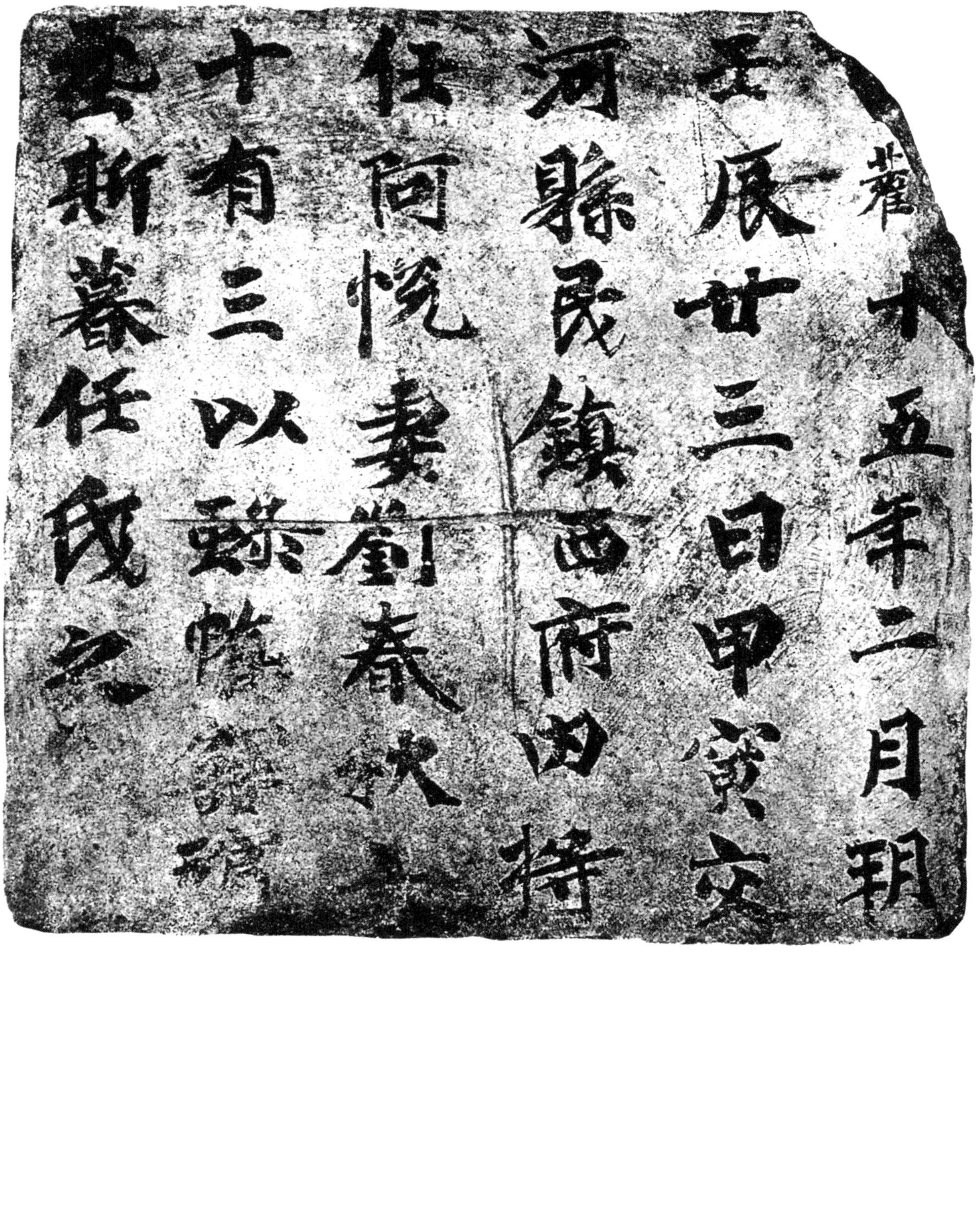

唐貞觀十五年任阿悅妻劉氏墓表磚

釋文：貞觀十五年二月朔／壬辰廿三日甲寅交／河縣民鎮西府内將／任阿悦妻劉春秋六／十有三以□轜靈殯／葬斯暮任氏之墓表

唐龍朔二年麴善岳墓表磚

釋文：惟大唐龍朔二年歲／次壬戌十月丁亥朔／廿八日甲寅滿故西／州偽內散常侍麴善／岳皇朝欽爵致果／副尉春秋七十九遇／疾遭卒殯之斯墓

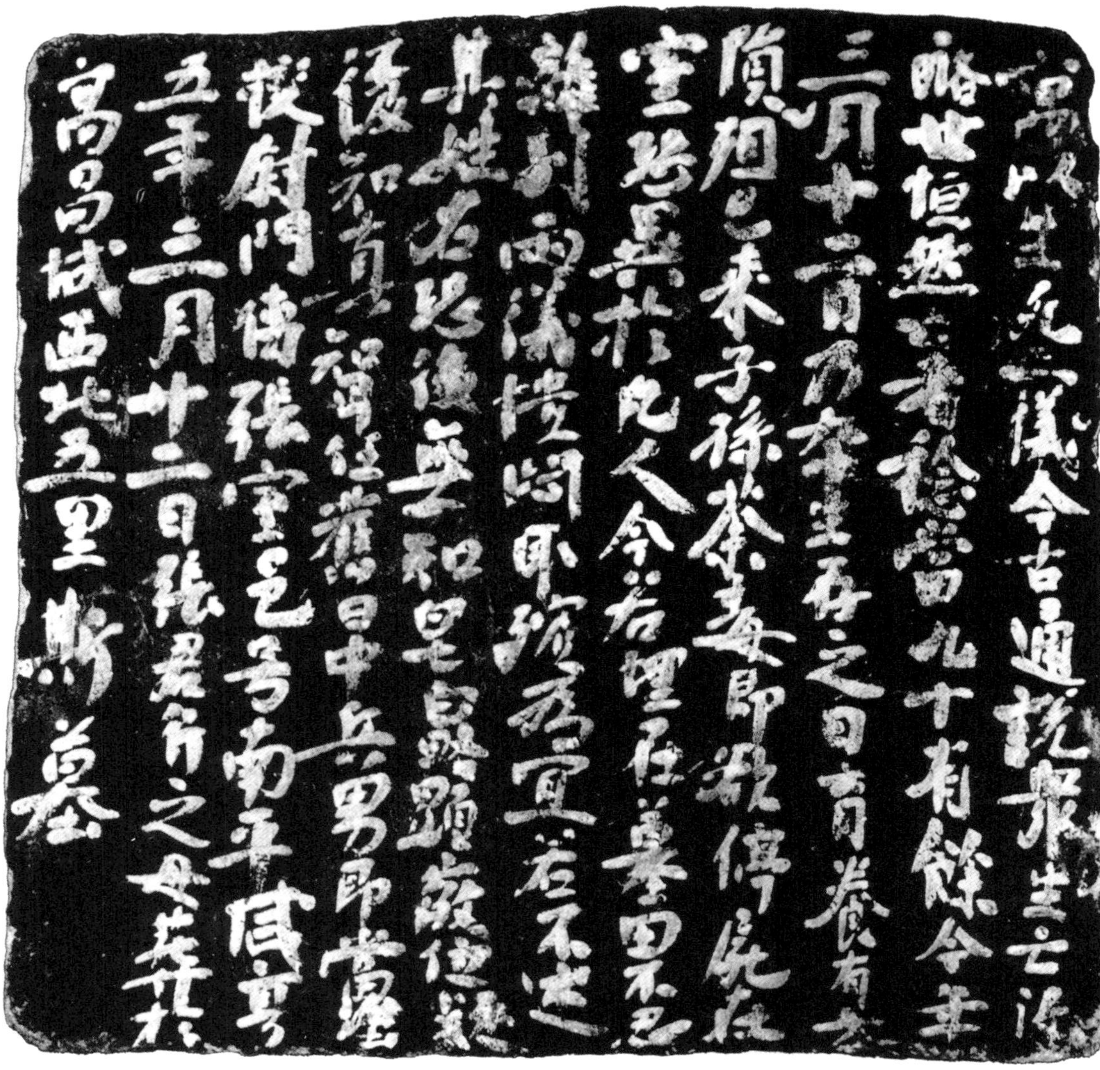

唐咸亨五年張君行母墓誌磚

釋文：竊以生死二儀今古通說衆生亡
没／略世恒然亡者稔當九十餘
今年／三月十二日乃卒生存之
日育養有方／隕殂已來子孫荼
毒即欲停屍在／室恐異於凡人今
若埋在墓田不忍／離别兩儀憒問
取殯爲宜若不述／其姓名恐後無
知皂白略顯微位疑／後知真智任
舊日中兵男即當塗／校尉門傳張
室邑號南平咸亨／五年三月廿二
日張君行之母葬於／高昌城西北
五里斯墓

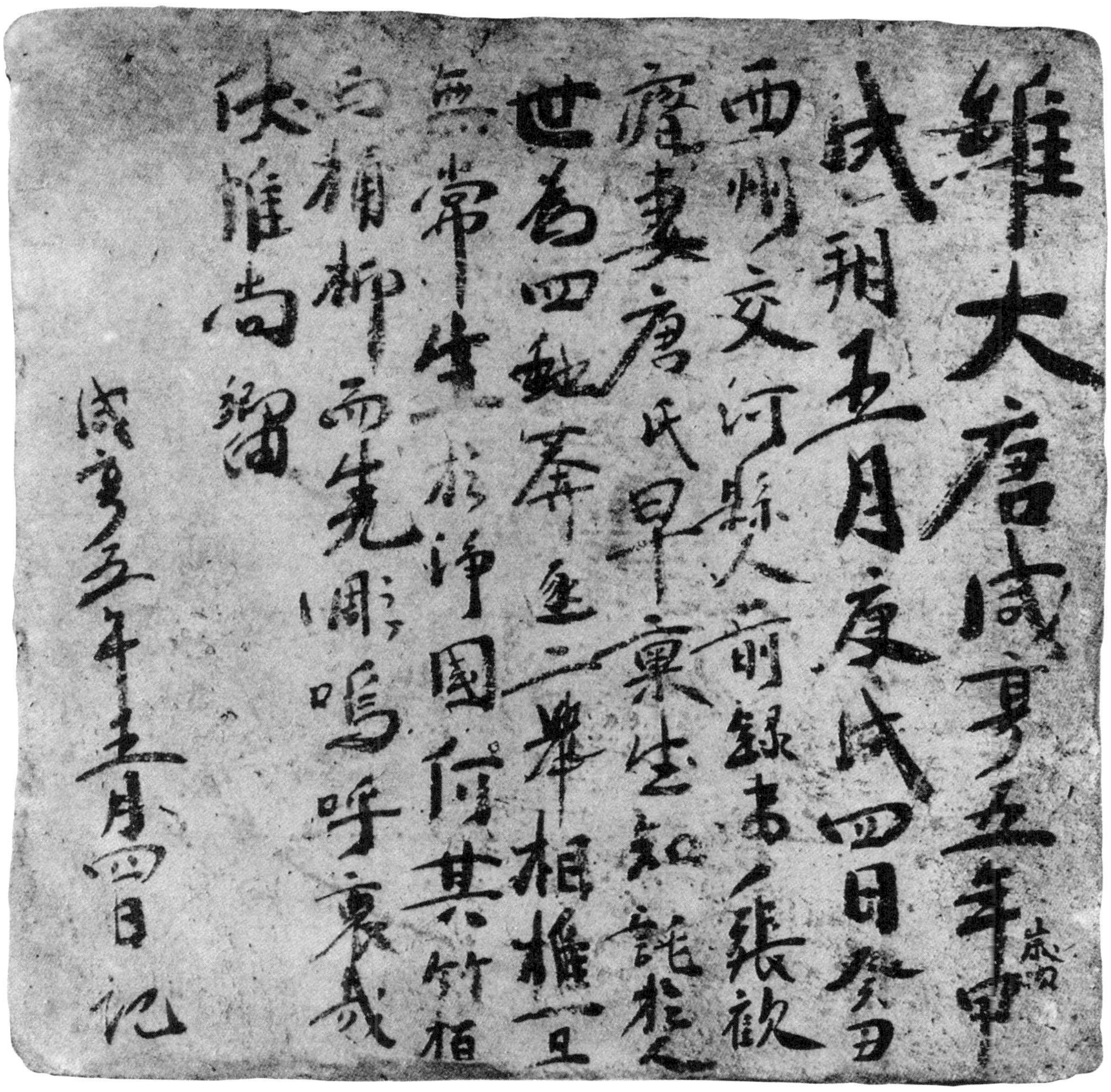

唐咸亨五年張歡□妻唐氏墓表磚

釋文：維大唐咸亨五年歲次甲／戌朔五月庚戌四日癸丑／西州交河縣人前録事張歡／□妻唐氏早稟生知託於人／世爲四蛇奔逐二鼠相摧一旦／無常生於凈國何其竹柏／與蒲柳而先彫嗚呼哀哉／伏惟尚饗／咸亨五年五月四日記

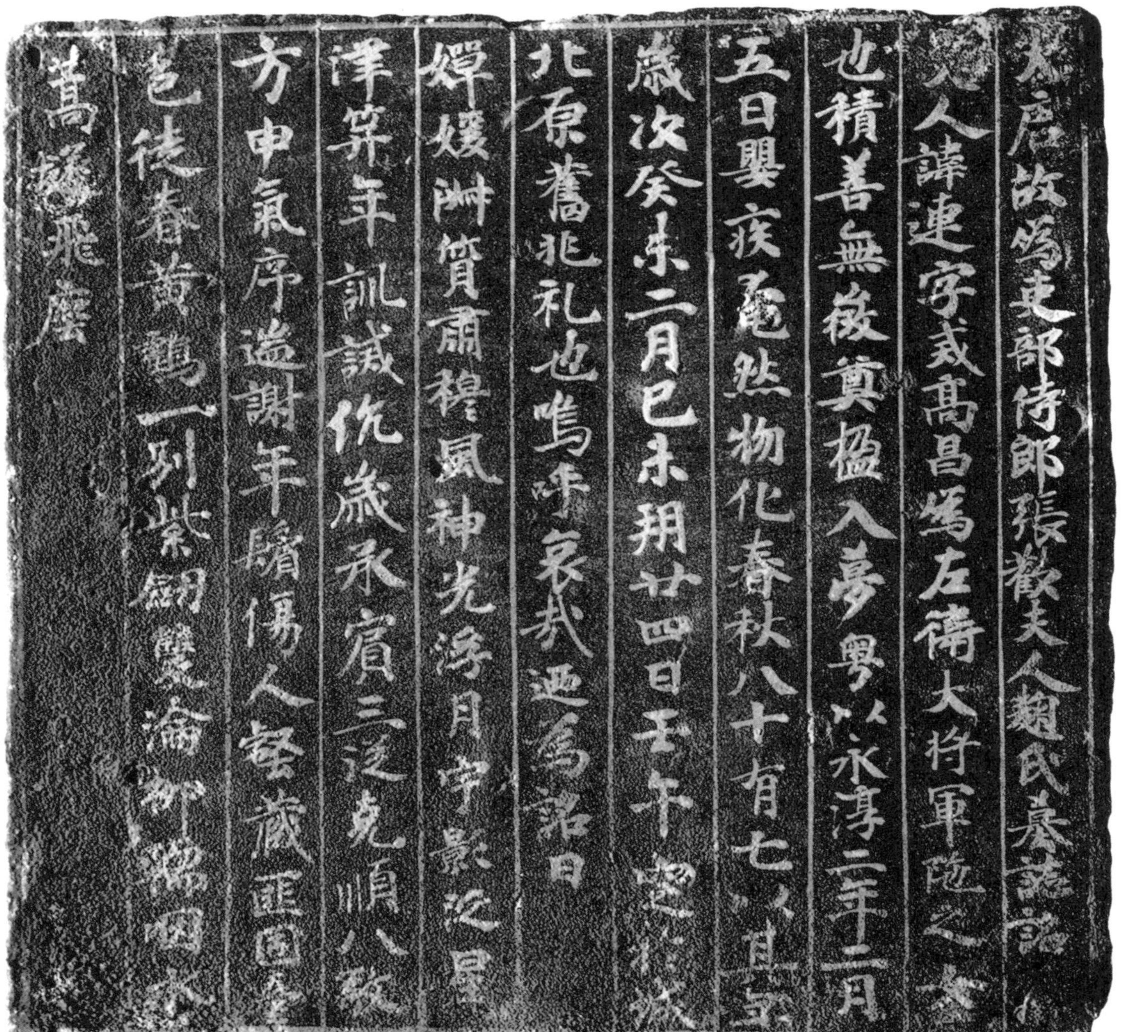

唐永淳二年張歡夫人麴連墓誌銘磚

釋文：大唐故僞吏部侍郎張歡夫人麴氏墓誌銘／夫人諱連字戒高昌僞左衛大將軍陁之女／也積善無徵奠楹入夢粤以永淳二年二月／五日嬰疾奄然物化春秋八十有七以其年／歲次癸未二月己未朔廿四日壬午窆於城／北原舊兆禮也嗚呼哀哉迺爲銘曰／嬋媛淑質肅穆風神光浮月宇影泛星／津笄年訓誡伉儷承賓三從克順八敬／方申氣序遄謝年鬢傷人窆藏匪固臺／色徒春黄鶴一别紫劍雙淪柳轜咽水／蒿㯃飛塵

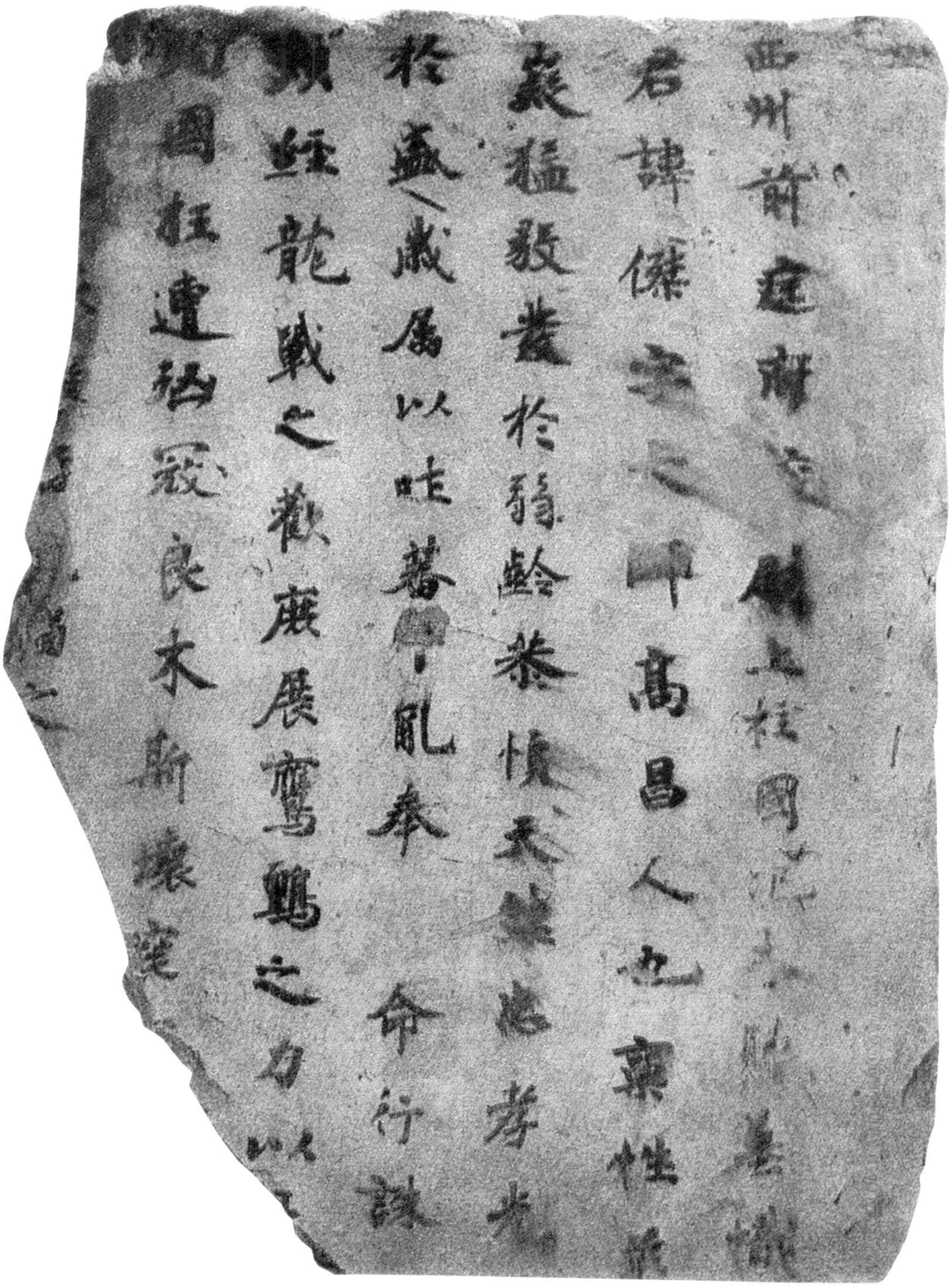

唐汜大師墓誌磚

釋文：西州前庭府校尉上柱國汜大師墓
幟／君諱傑字大師高昌人也禀性
英／嶷猛毅發於弱齡恭慎天生忠
孝光／於盛歲屬以吐蕃中亂奉命
行誅／頻經龍戰之歡庶展鷹鸇之
力以身／殉國枉遭凶寇良木斯壞
窆□□□／溷之

開皇二年楊元伯妻邸胋胋墓記磚

釋文：開皇二年十二月六日／楊元伯妻邸胋胋

開皇七年李氏婦馬希嬢墓銘磚

釋文：開皇七年四月／三日李氏婦馬／希嬢亡銘記

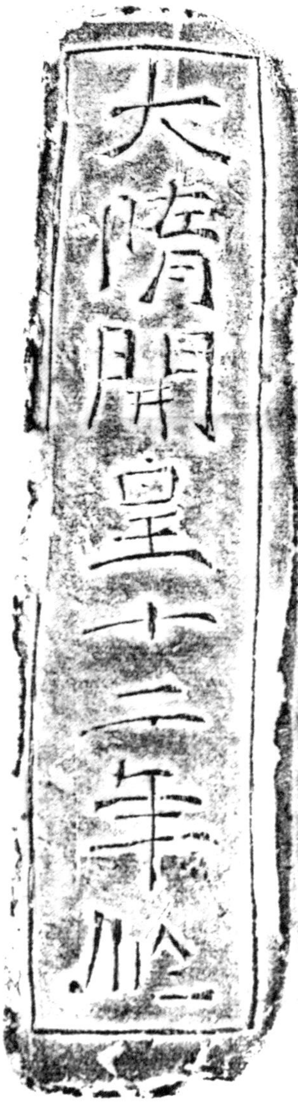

側面

正面

開皇十二年僧璨墓記磚

釋文：正面：大隋開皇十二／年七月僧璨大／士隱化於舒之／皖公山岫結塔／供養道信爲記

側面：大隋開皇十二年作

開皇十八年張延敬磚

釋文：開皇十八年正月十二日脩德/鄉下故人張延敬捽

仁壽二年興福寺磚

釋文：仁壽二年興福／寺造少陵原□／眇行者□

仁壽二年蔣□與妻袁四娘捐造佛塔磚

釋文：大隋仁壽二年壬戌歲三月／翊軍將軍恒州長史蔣□與／妻袁四娘捨錢五百貫在信／州金輪寺塔二造佛塔塼五／十座願各郡官爰民庶□□／三塗生生世世□佛□法□／離苦厄樹證妙果公私清□

大業元年張伏奴墓銘磚

釋文：大業元年六月／十四日故人張伏奴／銘

漏澤園侯進墓記磚

釋文：律字號侯進年七十二／歲係本府三門水軍／營兵士十一月一日檢／驗了當二日依／條立峯葬埋記識訖

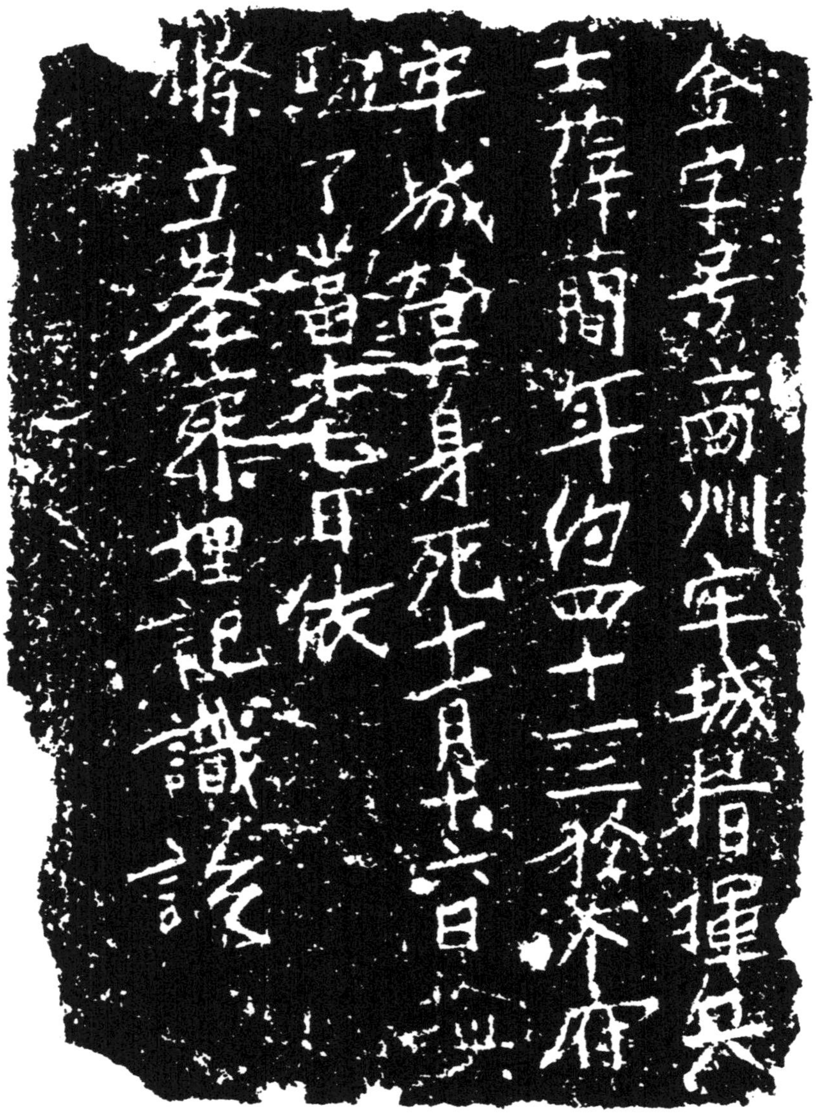

漏澤園薛簡墓記磚

釋文：金字號商州牢城指揮兵／士薛簡年約四十一二於本府／牢城營身死十一月十六日檢／驗了當十七日依／條立峯葬埋記識訖

漏澤園張聰墓記磚

釋文：龍字號魏店解成家／店內身死百
姓張聰係／潭州人十二月十七
檢驗了當／十二月二八日依／條
立峯葬埋記識訖

漏澤園董成墓記磚

釋文：乃字號安濟坊寄留／身死兵士董成年約／五十一二係東京弟一／將下廣捷第二十一指／揮十二月二十六日檢驗／了當十二月二十七日依／條立峯葬埋記識訖

誰能立志磚

釋文：文因人之所欲誰／能立志上前佇看／錦標拾得斯爲第一

廣州修城牆磚

釋文：水軍一廣州修城磚

正面

背面

護國禪師月江磚

釋文：正面：護國禪師月江

背面：□□信／二塊魁

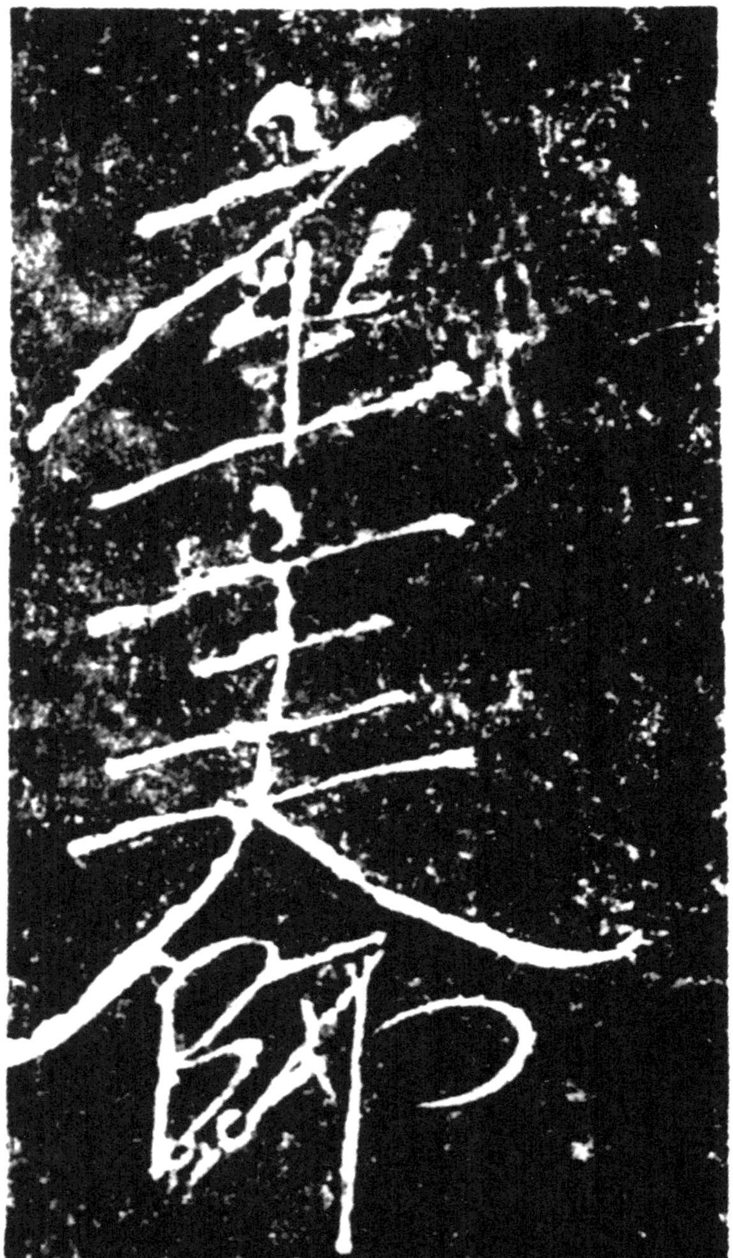

座主大師題名磚

釋文：座主大師

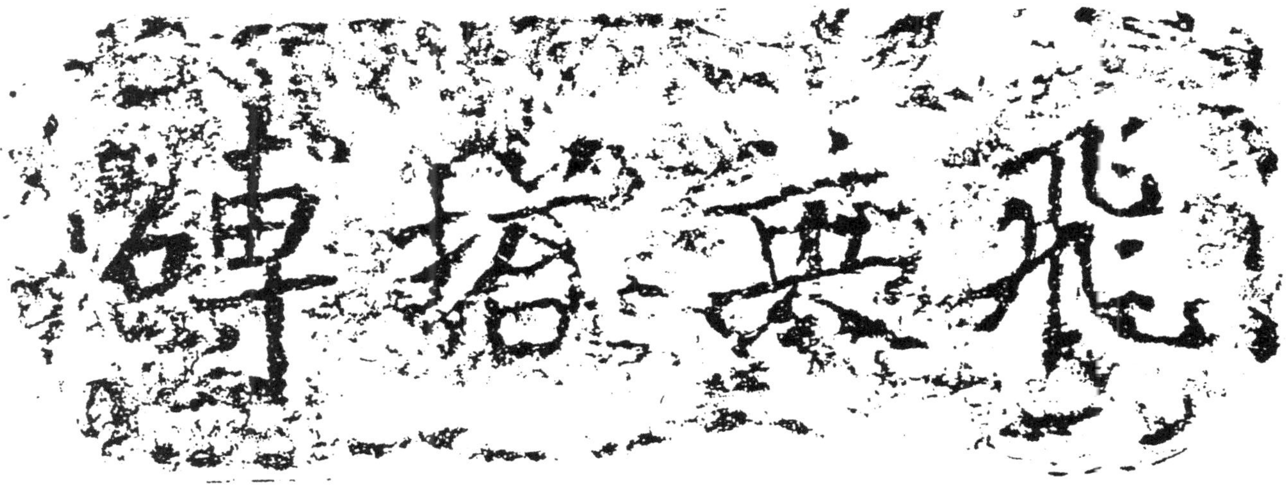

飛英塔磚

釋文：飛英塔磚

曹洞派磚

釋文：曹/洞派/皇山/僧博義

盧克等字磚

釋文：□盧克／□之墓故／□寧百五

閔子騫磚
釋文：閔子騫

武將墓誌磚
釋文：武將墓志

大齊古域磚
釋文：大齊古域

古伕寶塔磚

釋文：古伕寶塔

西北隅施令妻孟氏墓磚

釋文：西北隅施令妻孟氏墓／男施／貞順

天顯十三年墓記磚

釋文：大蕃天顯□／次戊戌五月／拾三日己未

天德十年申通妻李氏墓記磚

釋文：河南衛府輝縣雲門社二里寨兒村／省祭官申通妻李氏止／生孝男六子同居係集中土／户四十二年本里頭一户人／天德十年正月初四在家病故

諸法因緣生佛偈磚

釋文：諸法因緣生我說是因緣／因緣盡故滅我作如是說

法舍利塔磚

釋文：法舍／利塔

諸法因緣生／我說是因緣／因緣盡故滅／我作如是說

蓋

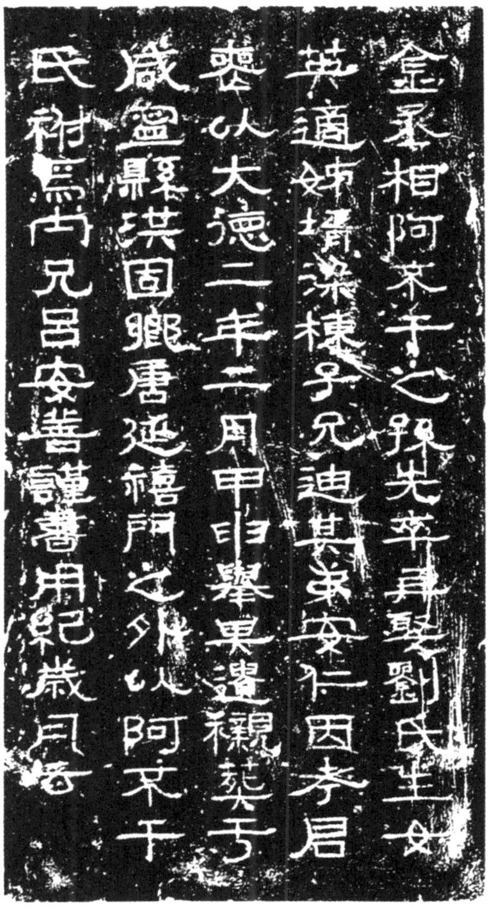

磚二

磚一

大德二年張輔臣壙記磚

釋文：蓋：大元故覃懷／張夢臣壙記磚

一：君諱輔臣字夢臣世爲覃懷武陟人祖諱／元亨考諱成母樊氏生于辛亥正月廿七／日甫弱冠辟陝西察司書吏以廉張擢南／臺令史調蜀省掾未幾以疾卒于成都實／至元丙戌七月廿六日亨年卅有六初娶

磚二：金丞相阿不干之孫先卒再娶劉氏生女／英適姊壻梁棟子兄迪其弟安仁因考君／喪以大德二年二月甲申舉其遺櫬葬于／咸寧縣洪固鄉唐延禧門之外以阿不干／氏祔焉內兄呂安善謹書用紀歲月云

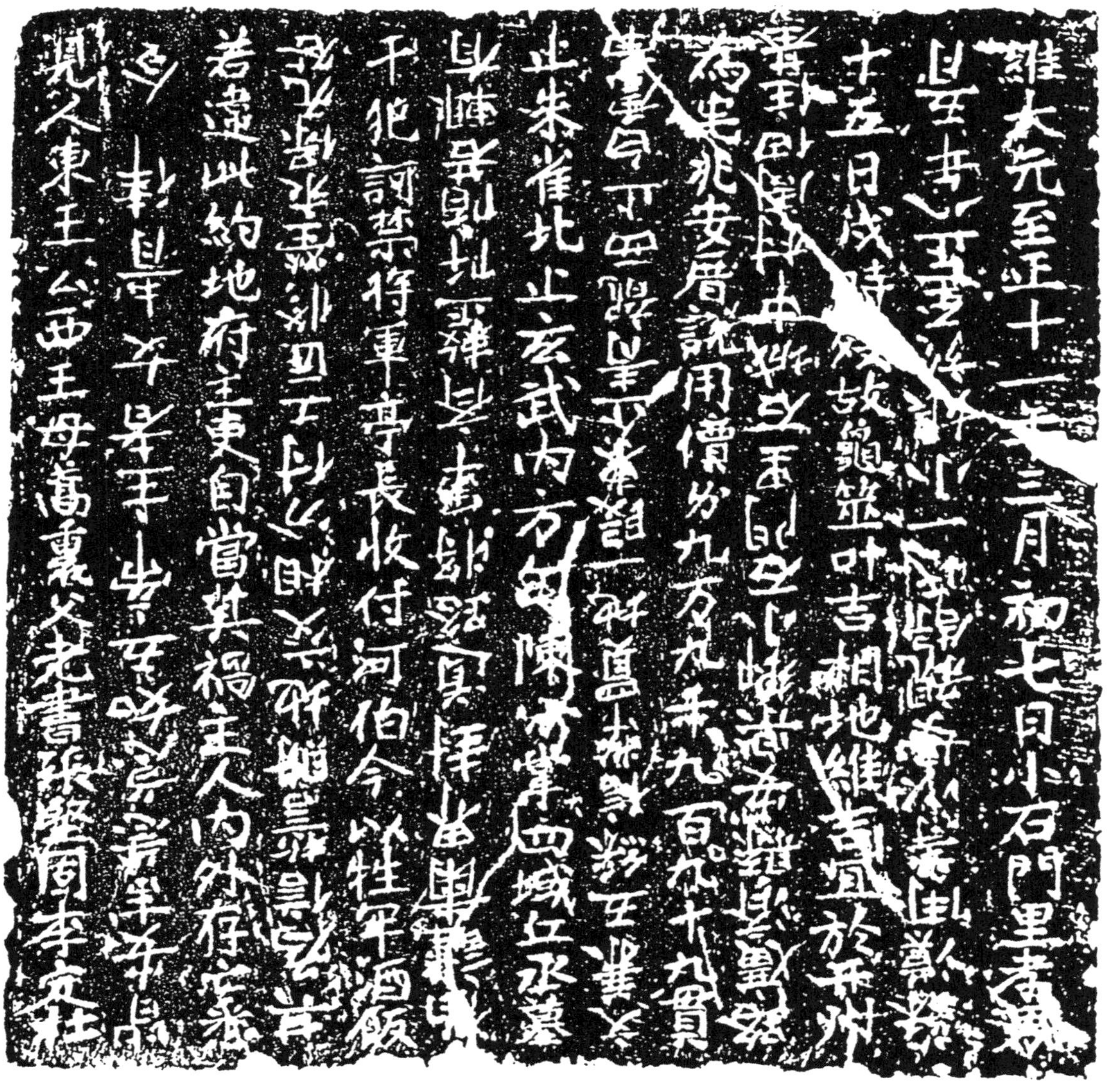

至正十一年蘇漢用等爲母舒氏小娘買地券磚

釋文：（正向）維大元至正十一年三月初七日小石門里孝男／（倒向）蘇漢用等以母親舒氏一小娘於至正八年五月／（正向）十五日戌時歿故龜筮叶吉相地維吉宜於開州／（倒向）路廣濟縣安樂鄉小石門里石城中村周佃住基／（正向）爲宅兆安厝説用價錢九萬九千九百九十九貫〈（倒向）文兼五綵信幣買地一段東止青龍西止白虎南／（正向）止朱雀北止玄武内方勾陳分掌四域丘丞墓／（倒向）伯謹肅界封道路將軍齊整阡陌若輒有／（正向）干犯訶禁將軍亭長收付河伯今以牲牢酒飯／（倒向）其爲信誓財地交相分付工匠修塋永保無咎／（正向）若違此約地府主吏自當其禍主人内外存亡悉／（倒向）皆安吉急急如五帝主者女青律令／（正向）見人東王公西王母蒿裏父老書張堅固李定杜

方德冲同妻吴惠真捨造佛塔磚

釋文：方德冲同妻吴氏惠真偕男吴孫/□
捨磚貳伯口丐保壽命延長者

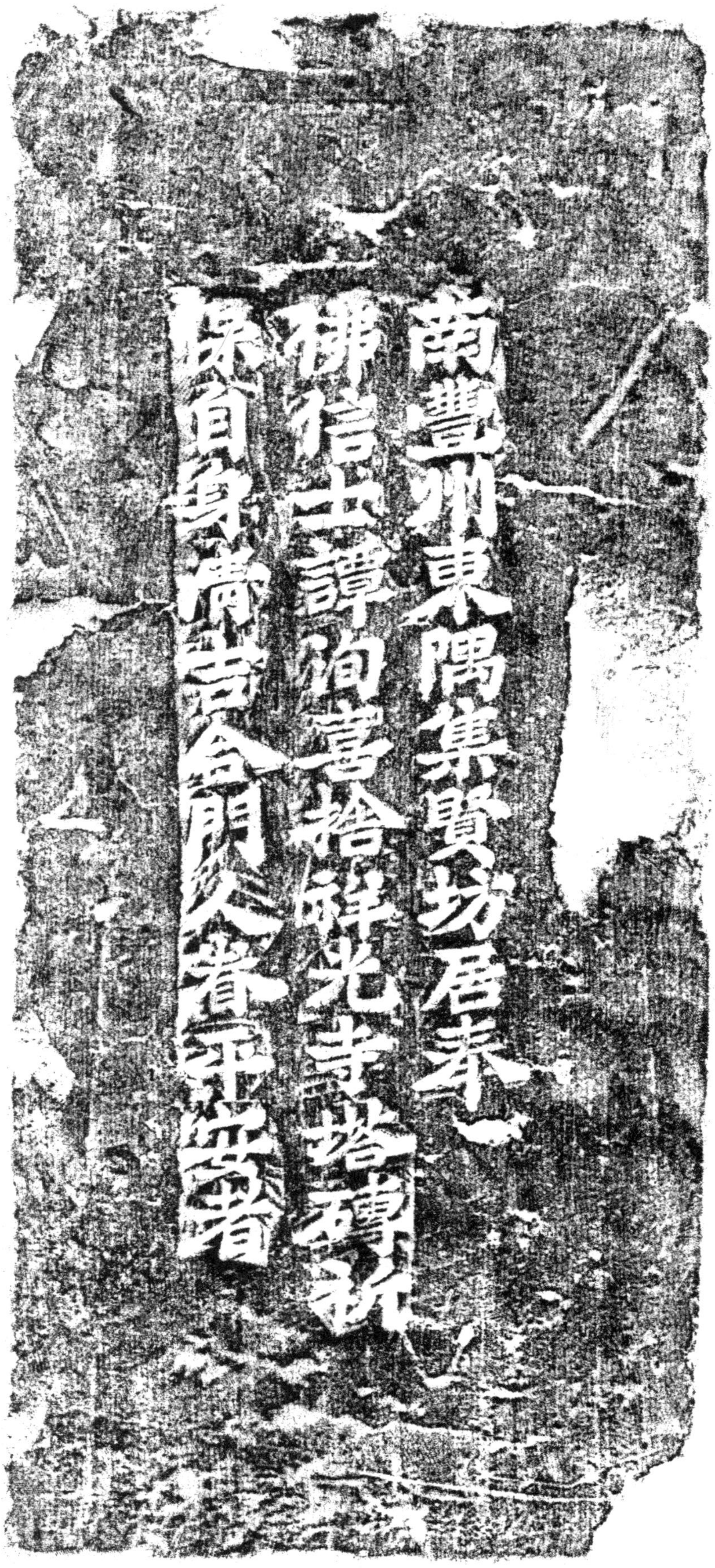

譚洵捨造佛塔磚

釋文：南豐州東隅集賢坊居奉／佛信士譚洵喜捨祥光寺塔磚祈／保自身清吉合門人眷平安者

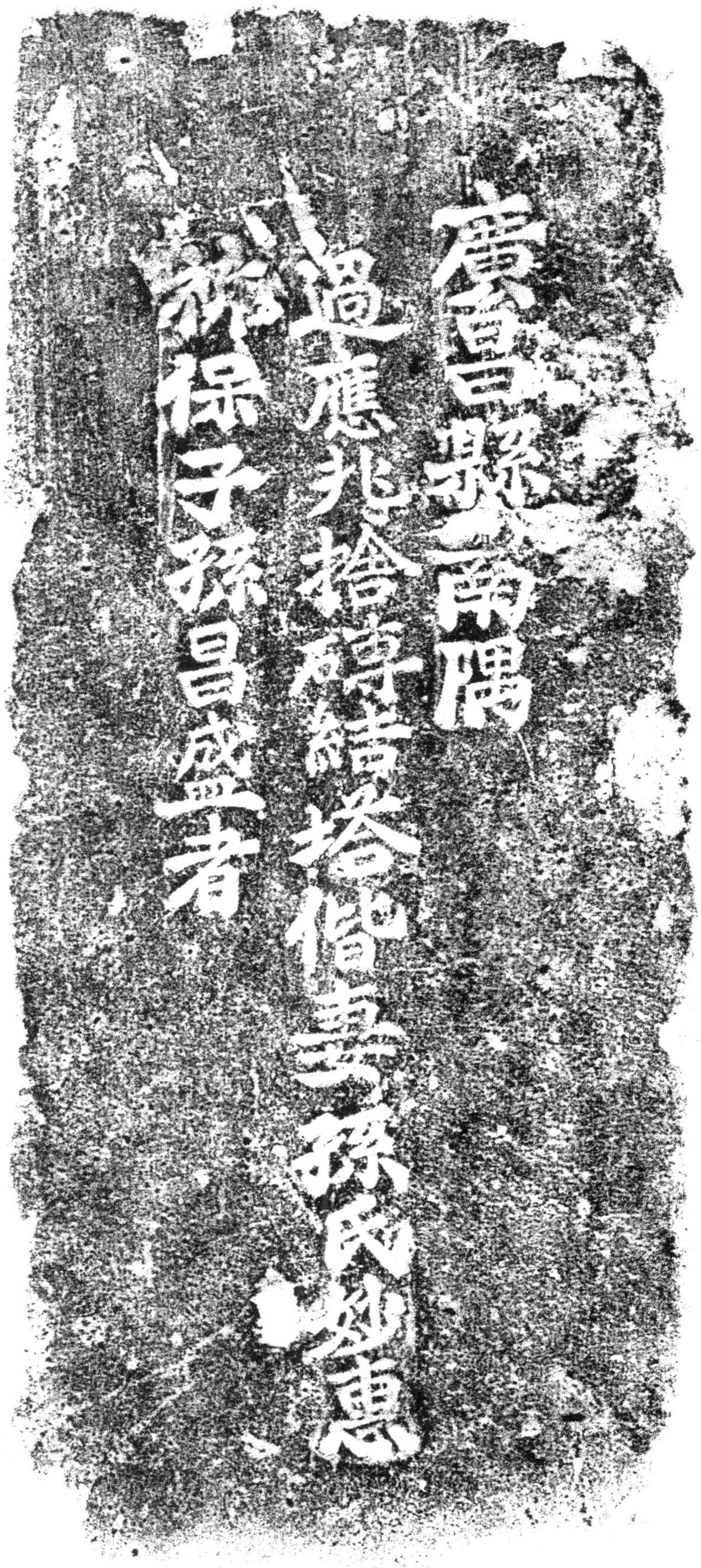

正面

側面

過應兆等人捨造佛塔磚

釋文：正面：廣昌縣南隅／過應兆捨磚結塔偕妻孫氏妙惠／祈保子孫昌盛者

側面：□□府胡氏夫人同男喜捨□□□

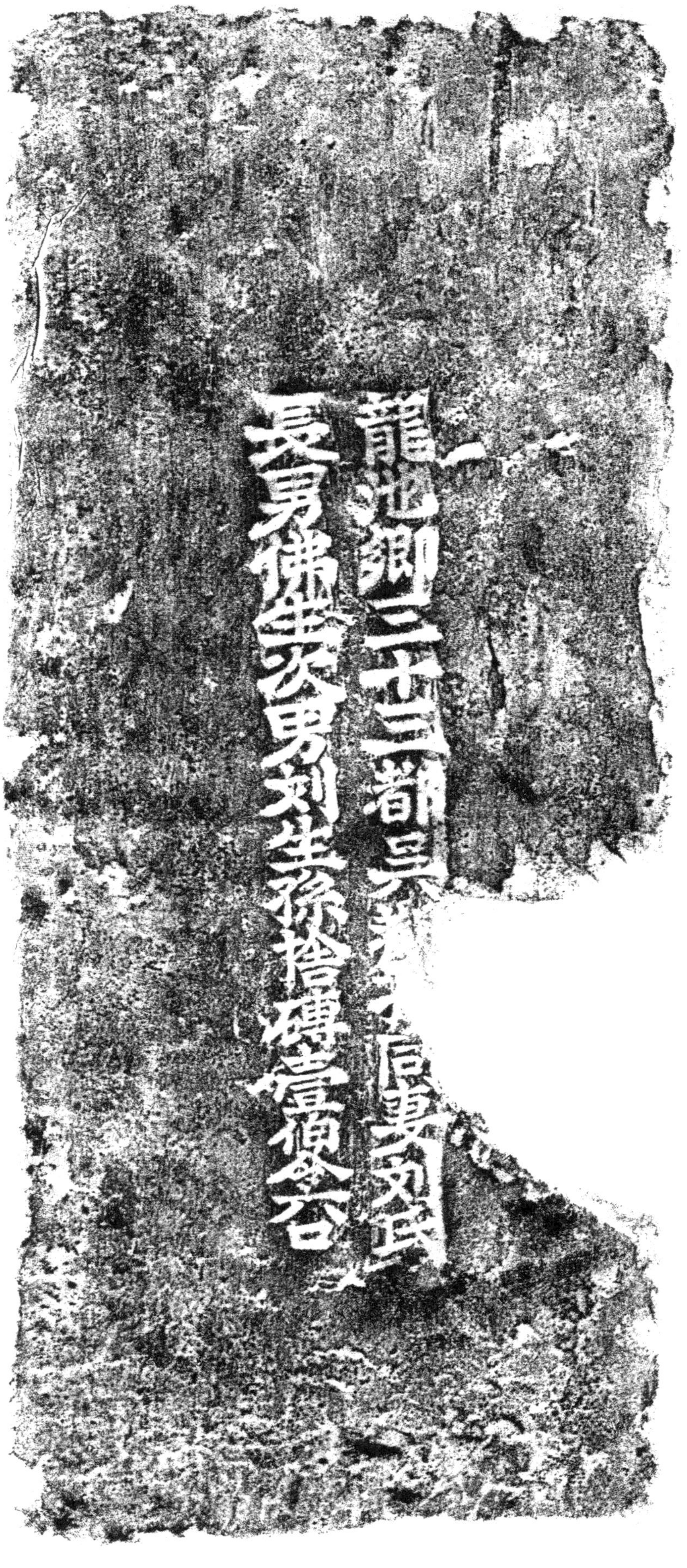

吴家等人捨造佛塔磚

釋文：龍池鄉三十三都吴□□同妻劉氏／長男佛生次男劉生孫捨磚壹伯令六口

重臣磚

釋文：重臣

圖書在版編目（CIP）數據

兩晋至宋元磚銘書法·四 / 上海書畫出版社編；黎旭，王立翔主編.--上海：上海書畫出版社，2022.10
（磚銘書法大系）
ISBN 978-7-5479-2897-4

Ⅰ.①兩… Ⅱ.①上… ②黎… ③王… Ⅲ.①漢字-法書-作品集-中國-古代 Ⅳ.①J292.21

中國版本圖書館CIP資料核字(2022)第177036號

磚銘書法大系
兩晋至宋元磚銘書法（四）
上海書畫出版社 編
黎旭 王立翔 主編

責任編輯 張恒煙 馮彦芹
審讀 陳家紅
封面設計 王峥
技術編輯 顧傑

出版發行 上海世紀出版集團
上海書畫出版社
地址 上海市閔行區號景路159弄A座4樓
郵政編碼 201101
網址 www.shshuhua.com
E-mail shcpph@163.com
製版 上海久段文化發展有限公司
印刷 上海盛隆印務有限公司
經銷 各地新華書店
開本 889×1194mm 1/12
印張 8
版次 2022年10月第1版
2022年10月第1次印刷

書號 ISBN 978-7-5479-2897-4
定價 65.00圓
若有印刷、裝訂質量問題，請與承印廠聯繫